HOORNTJES, HAMBURGERS EN HARIGE BILLEN

Louise Rennison

Hoorntjes, hamburgers en harige billen

Deel 7 van de
Bekentenissen van
Georgia Nicolson

Vertaald door Esther Ottens

Gottmer · Haarlem

Kijk voor meer informatie over de jeugdboeken van de Gottmer
Uitgevers Groep op **www.gottmer.nl**

In dezelfde serie verschenen:
Tijger, tanga's en tongzoenen
Kiwi's, kanjers en giga-onderbroeken
Neefjes, nymfo's en noenga-noenga's
Dansen in je niksie
Sukkels, scooters en SeksGoden
Op zoek naar Masimo

© 2007 tekst Louise Rennison
De oorspronkelijke uitgave van dit boek verscheen bij HarperCollins
Publishers Ltd in Londen onder de titel *...Startled by his furry shorts!*

Voor het Nederlandse taalgebied:
© 2008 Uitgeverij J.H. Gottmer / H.J.W. Becht BV, Postbus 317,
2000 AH Haarlem (e-mail: post@gottmer.nl)
Uitgeverij J.H. Gottmer / H.J.W. Becht BV is onderdeel van de
Gottmer Uitgevers Groep BV
Vertaling: Esther Ottens, Haarlem
Omslagillustratie: Femke de Roos, Eindhoven
Omslagontwerp: Yvonne van Versendaal, Amsterdam
Zetwerk: zetR, Hoogeveen
Druk en afwerking: Drukkerij Hooiberg Salland, Deventer

ISBN 978 90 257 4461 8
NUR 284

IN HERINNERING AAN DOMINEE DEZZA

Dikke zoenen voor mijn familie en vrienden, oud en nieuw. (Hé, ik zeg niet dat jullie oud zijn, ik bedoel gewoon dat sommige vrienden nieuwer zijn dan anderen... eh... maar niet in de betekenis van minder oud. Ach, laat ook maar; ik hou gewoon van jullie, oké!)

Verder ben ik errug blij met mijn uitgevers en redacteuren en ontwerpers en verkopers bij HarperCollins in Billy Shakespeare-land en Hamburger-a-gogo.

Zoals altijd ben ik de Keizerin bijzonder dankbaar.

Maar vooral bedankt, mijn lieve, lieve lezertjes. (Het schijnt dat er nu ook Vati's bij zijn, wat ik wel een beetje griezelig vind.)

IN FIASCOLAND

zaterdag 18 juni

| 21.00 uur | Niet te geloven dat ik nu alwééér op de pijn-
bank van de liefde lig.
En in de oven van de romantiek.
Op weg naar de bakkerij van pijn.
Met misschien een tussenstop voor een taartje in de taart-
winkel van ellende.
Hou je kop, brein. Hou je kop.

slaapkamer, kijkend naar de sterren

| 21.01 uur | In mijn boek *Meditatie voor Megasukkels* staat
dat je kalm wordt als je naar het universum
en de sterren kijkt en zo.
Oooohhhhmmm.

| 21.03 uur | Dat meditatieboek heeft het mis. God, wat
zijn sterren toch irritant. Ze schitteren en
schijnen maar, als een stelletje twinkelende mafkezen. Waarom zijn ze zo vrolijk?

| 21.03 en nog wat uur | Ik zal je zeggen waarom ze zo
vrolijk zijn: omdat ze mij niet
zijn. Ze weten niets van zoenen en de Kriebels. Heeft er
wel eens een LiefdesGod tegen ze gezegd: 'Over een week
zeg ik je of ik iets met je wil of niet?' Nee dus.
Trouwens, waar dienen sterren eigenlijk voor? Je kunt er
niet eens een boek bij lezen. Ze hangen daar maar wat te
hangen. Als debiele fakkeltjes.

7

| 21.04 uur | Hangen te hangen is niet bepaald een baan, hè? |

| 21.05 uur | Ik kan niet zeggen dat ik nu kalmer ben. |

| 21.10 uur | Het is oer- en oersaai in de bakkerij van pijn. Zaterdagavond tien over negen en ik zit op mijn kamer. |

In mijn eentje. Ik ben in de bloei van mijn... eh... kriebeligheid en *joie de vivre* en er gebeurt niets. Helemaal niets.

Dit huis is net een graf. Ik...

O fijn, mijn lieve zusje schopt de deur open en slingert mijn kat Tijger naar mijn hoofd.

'AJJJOOOO, Rooie!!! We sjein er weer. Ajjooo!!! Kijk, mijn broek danst. Seksbom, seksbom, ik ben een seksbom!!!'

O, lieve *Gott* in de *Himmel*. Tijger vond het drie keer niks dat ze met hem gooide, en toen hij eindelijk klaar was met zijn kattenniesjes en stuiptrekkinkjes zette hij zijn nageltjes in mijn enkel. Au!!!!!!!! Nu ben ik met een lam been op weg naar de taartwinkel van ellende. Joepie!

Libby trok haar jurkje over haar hoofd en begon als een paaldanseres met haar achterste te draaien. Waar ziet ze dat soort dingen?

Ze zijn net terug van het gekkengesticht, d.w.z. opa's bejaardentehuis, dus zal ze het daar wel opgepikt hebben. Ik heb die bewoners gezien, in hun zogenaamde gemeenschappelijke ruimte. Ze doen net alsof ze domino spelen, maar ondertussen vervolmaken ze de kunst van het gek zijn. En als niemand kijkt doen ze een dansje in hun incontinentieluiers.

Mama kwam aangemoederd en tilde Libby op. 'Tijd voor dromenland, jongedame.'

Libby ging in mama's armen gewoon door met zingen en dansen, en toen zag mama mij. In mijn kamer zitten.

'Wat ben je aan het doen, Georgia? Waarom zit je hier?'

Ik zei: 'Niet dat het iemand opvalt, maar dit is eigenlijk

mijn kamer. Je weet wel, waar ik kan zitten? Ik lag al in bed, als je het zo nodig weten wilt.'

Terwijl ze de deur uit liep zei mam: 'O ja, je zult wel vreeeselijk moe zijn, met al die lipgloss en mascara die je de hele dag mee moet zeulen.'

Grappig hoor. Maar niet heus.

21.25 uur Ik zit min of meer al vierentwintig uur op mijn kamer, eet- en plaspauzes niet meegerekend. O, en ik ben ook nog even naar de winkel geweest voor wat eerste levensbehoeften. Mascara en een nieuwe noenga-noengahouder. En een *Cosmo*. Het is meer dan vierentwintig uur geleden dat Masimo voor de deur afscheid van me nam en zei dat hij me nog zou laten weten of hij me als vriendinnetje wilde. Waarom heb ik gezegd dat hij mijn enige echte ware was? Waarom waarom?

21.26 uur En driewerf waarom? Waarom waarom waarom? Waarom kon ik niet gewoon een gevoelloze vrouw van de wereld zijn? Ik had toch wel voor één keer mijn mond kunnen houden en laten zien hoeveel onverstoorbaarheid en *savoir* dinges ik in me heb?

21.30 uur Als ik het slim had gespeeld had ik massa's vriendjes kunnen hebben. Allemaal tegelijk. Masimo de Italiaanse Hengst als weekendvriendje, met een stukje Dave Hahaha (woeha) voor een regenachtige doordeweekse achternamiddag. En misschien zelfs de voormalige SeksGod (wiens naam ik zelfs in mijn graf niet meer zal noemen) als een soort luchtpostvriendje in Kiwi-a-gogo. Maar nee hoor, ik moest zo nodig zaniken en zeveren dat ik Masimo's enige echte ware wilde zijn.

21.40 uur Ik was zo gelukkig toen ik onder de sterren met Masimo aan het zoenen was. Toen werkten de sterren niet op mijn zenuwen. Niets werkte op mijn zenuwen.

| 21.42 uur | Waarom woon ik nu weer in Fiascoland? Het ene moment zoent hij me onder de nutteloze twinkelaars, het volgende moment gaat hij uit met Slome Lindsey, wandelende tak en sukkel.

Ik word achtervolgd door die eeuwige Stomme String. Eerst verleidde ze je-weet-wel, wiens naam ik zelfs in mijn graf niet meer zal noemen, maar het begint met een 'R' en eindigt op 'obbie'. Nu heeft ze Masimo ingepikt met haar geslijm. Ik haat haar, ik haat haar.

Maar dat is het leven in een notendop, hè? Dat van mij in elk geval wel – alles helemaal leuk en top en dan compleet balen en *merde*.

| 21.45 uur | Wat zei de beroemde schrijver Charlie Dickens ook alweer? O ja: 'Voorwaar, den gehele wereld is ene schouwtoneel ende mannen ende vrouwen zijn slechts spelers. Pot hier en gunder.' Of was dat Billie Shakespeare?

Wie zal het zeggen? Wie kan het schelen? Wat betekent het eigenlijk? En waarom praten al die ouwe baardapen zo raar?

Wat heeft het allemaal voor zin?

| 00.00 uur | O, ik kan er niet meer tegen. Hoeveel uur nog voor Masimo me antwoord geeft? Misschien moet ik hem opbellen om te zeggen dat ik het niet meende toen ik zei dat hij de enige echte ware voor me is. Ik zou kunnen zeggen dat hij best met Slome Lindsay uit mag, als hij mij ook maar leuk vindt.

| 00.10 uur | Maar dan zoen ik hem straks nadat zij hem gezoend heeft, wat betekent dat ik eigenlijk met háár zoen. Daar zou geen mens mee kunnen leven.

00.20 uur	Ik zoen nog liever met Tijger.
00.26 uur	Ik wed dat Tijger veel lekkerder zoent dan zij. Veel lekkerder.
00.30 uur	Hij heeft in elk geval mooiere poten.
00.31 uur	Tenminste – hij heeft er meer.
00.36 uur	Ze zijn allemaal naar bed. En de poezen-

beesten zijn de hort op. Ik hoor ze janken en blazen in de tuin. Schele Simon is in kattenjaren nu ongeveer een puber. Hij staat vast een balletje hoog te houden, net als Oscar, de zogenaamde zoon van meneer en mevrouw Van de Overkant, beter bekend als de Viezerik. Nee, ik bedoel natuurlijk: hij doet alsof hij een balletje hoog houdt, maar intussen loert hij naar vrouwelijke poezenbeesten.

00.39 uur	Simon zou veel beter zijn in balletje hoog houden en meiden kijken dan Oscar, want

hij kan het letterlijk tegelijk: met zijn ene oog de bal in de gaten houden en met zijn andere oog kijken of er nog leuke meisjespoezen aankomen. Dat scheve oog van hem is een geluk bij een ongeluk.

00.41 uur	O, ik kan niet slapen. Ik moet op zoek naar een boek met wijselijkheden.
00.42 uur	In mijn (oké, mama's) boek *Zo wordt iedere sufkop verliefd op je* staat dat als je doet alsof je

je voelt hoe je je voelt, dat je je dan voelt zoals je je voelt. Pardon?

00.45 uur	Bijvoorbeeld: 'Als je naar een feestje gaat en je voelt je onzeker, kom dan met een brede

lach de kamer in. Trek je schouders naar achteren, loop met

opgeheven hoofd, laat je armen losjes langs je zij hangen. Ook al ben je nog zo verlegen, zo zal niemand het zien!'
Okidoki, dat ga ik voor de spiegel proberen.
Brede lach, armen losjesdeposjes en zwaaien maar. Grote grijns, schouders naar achteren, hoofd omhoog, zwaai zwaai. Losse armen en zwaai zwaai.

00.52 uur | Jep, dat ziet er heel zelfverzekerd uit. Eén klein minpuntje: als ik mijn armen losjes langs mijn zij laat zwaaien lijk ik wel een orang-oetan. Een orang-oetan die koning Lowie heet, waarschijnlijk. En wie wil er nou een zelfverzekerde orang-oetan als vriendinnetje? Dat is de vraag die ik mezelf stel.

00.54 uur | Koning Lowie, de zelfverzekerde orang-oetan in een Teletubbies-pyjama. Die ik alleen aan had voor het gemak. Ik wist niet dat ik er zelfverzekerd in naar een feestje moest.
Kop dicht, brein.

zondag 19 juni

slaapkamer

10.00 uur | Dezelfde pijnbank van de liefde.
Dezelfde oven van pijn.
Dezelfde bakkerij van... kopdicht kopdicht.
Normaal zou ik Dave Hahaha om raad vragen over het LiefdesGod-scenario. Hij is en blijft namelijk de Kriebelmeester en Koning der Panty's. Ik lig nog steeds helemaal dubbel als ik aan dat Sound of Music-liedje van hem denk: 'Zo leer ik het lied dat de panty's zingen!' Ik zou hem vragen me het voordeel van zijn kennis op jongensgebied te geven, maar hij doet de laatste tijd een beetje raar met al dat 'Stel dat wij echt bij elkaar horen?'-gebeuren, dus ik zie er een beetje tegenop om hem weer te zien.

Mutti stak haar hoofd naar binnen. 'We gaan naar Waterworld. Wil je mee?'

Ik zei: 'Ben je gek geworden?'

Ik zei het heel beleefd en belangstellend, maar toch flipte ze compleet. 'Wat ben je verdomme toch een botte troel.'

Bijna zei ik dat vloeken een teken van een beperkte woordenschat is, maar omdat ik zo uitgeput ben deed ik het maar niet.

| 11.30 uur | De Zwitserse familie Knots is 'weggescheurd' in de circusauto, alias papa's belachelijke driewieler, de Robin Reliant, en laat mij alleen op Château Dikke Shit.

| 11.35 uur | Ik word gek. Ik moet Haar met de Grote Onderbroek bellen, en hopen dat ze niet gaat mekkeren over vleermuisuitwerpselen.

Jas gebeld.

Jas zat zo diep in Jas-en-Tomland dat ze niet eens merkte dat ik in de bakkerij van pijn bivakkeerde. Ze kwetterde alsof haar leven ervan afhing. 'Oooo, het is zo gaaf dat Tom terug is! Ik heb hem gisteren maar even gezien. Straks neemt hij zijn plantenverzameling uit Kiwi-a-gogo mee en dat vind ik zo... ooooohhhh...'

'Onbeschrijflijk saai?' zei ik.

Ze zei: 'Ik moet nu ophangen.'

'Jassie Plassie, kan ik naar je toe komen? Je moet me helpen.'

'Nee.'

slaapkamer van Jas
tussen de middag

Ik lig tussen Jas d'r zielige verzameling knuffelbeesten, uilen vooral, terwijl zij staat te klooien voor de spiegel. Wat is ze aan het doen?

13

Ik zei: 'Jas, het is heel moeilijk om je dingen te vertellen, belangrijke dingen vol tragiek over mij, je allerbeste hartsvriendin, terwijl jij vissenmondjes staat te trekken. Wat ben je aan het doen?'

'Ik oefen met tuiten.'

'Wat?'

'Tuiten. Ik had gisteravond met Tom een, eh, klein probleempje qua zoenen.'

Al staat mijn wereld op instorten, zoenverhalen vind ik altijd interessant. 'Vertel.'

'Nou, toen ik op hem zat te wachten was ik eerst heel zenuwachtig.'

'Zat je weer eens irritant aan je pony te frunniken?'

'Weet ik niet. Maar goed, toen hij binnenkwam was ik nogal slapjes. Alleen gaf dat niet want hij pakte zijn dinges.'

'Pardon?'

'Zijn, je weet wel, foto's van Kiwi-a-gogo, dus daar keken we toen een tijdje naar. Tot ik weer wat rustiger was. Er zat trouwens ook een hele coole bij van Robbie...'

O fijn. Alsof het allemaal nog niet erg genoeg was zat ik nu te praten over iemand aan wie ik in dit leven geen woord meer vuil zou maken.

Ik zei: 'Was Robbie gitaar aan het spelen en met buideldieren aan het dansen?'

Jas luisterde niet eens. 'Oké, terwijl we die foto's zitten te bekijken komt Tom steeds dichterbij en slaat zijn arm om me heen. En toen, nou ja... begonnen we, je weet wel, te zoenen en zo.'

'En zo? Waar staat "en zo" op de zoenladder? Tot welk nummer ben je gekomen?'

'Eh... vijf en een beetje zes. Het was echt gaaf. Ik had helemaal het gevoel dat ik smolt en toen... nou... kreeg ik een soort lipkramp.'

'LIPKRAMP?'

Het schijnt dat ze lekker aan het zoenen was en toen opeens een lipstuip kreeg.

Ze zei: 'Ik kreeg kramp in mijn lippen en toen verstijfden ze gewoon helemaal.'

'Hoe ziet dat eruit?'

Ze deed het voor. Jemig. Ken je dat, dat je een klein kind iets te eten geeft dat het niet lekker vindt, en dat zijn ogen dan uit hun kassen puilen en zijn hele gezicht in een kramp schiet en het eten zijn mond weer uit vliegt? Nou, geloof me, ik ken het wel. Libby krijgt de rijstepap helemaal tot aan de andere kant van de kamer.

Toen Jas haar verkrampte gezicht liet zien zei ik: 'Sorry dat ik het zeg, Jas, maar dat is niet bepaald aantrekkelijk.'

Ze zei: 'Ik denk dat het afzoenverschijnselen waren. Ik had mijn lippen al in geen eeuwigheid meer getuit, dus... snap je, ik was het niet meer gewend... maar het zal niet meer gebeuren.'

'Mooi.'

'Want ik ben aan een trainingsprogramma begonnen. Zal ik het je laten zien?'

'Nee.'

'Oké. Het gaat van tuit, ontspan, tuit, ontspan, tuit, ontspan. Zie je?'

Ik zei niets, ik lag haar alleen met grote staarogen aan te kijken, net als de andere uilen, terwijl zij haar lippen tuitte en weer ontspande. Ze leek wel een kruising tussen Mick Jagger en een debiel. Niet per se in die volgorde.

Ze stond nu voluit in de kwetterstand. 'En het *pièce de résistance* is tong naar buiten, tong naar buiten.'

Jemig, het was gruwelijk om te zien hoe haar tong haar mond in en uit schoot als bij een gestoorde woelmuis. Gelukkig lukte het me om een wijngummetje in haar waffel stoppen, zodat ik haar het droevige verhaal over mijn Italiaanse Hengst kon vertellen.

Ze zei (smakkerdesmak): 'Je hebt dus gezegd dat hij je enige echte ware moest zijn, en anders was het afgelopen? *Arrivederci*, Masimo?'

Ik zei: 'Ja, maar...'

'In naam van Smals buitenmodel pyjamabroek, waar zat je verstand? Ben je gek geworden?'

'Nee, ik ben niet gek, Jas. Ik heb alleen een vriendin, die toevallig heel veel op jou lijkt en die zei: "Je moet gewoon jezelf zijn."'

'Hè?'

'Je zei dat jezelf zijn, en niet doen alsof, net zoiets was als een royale neus hebben. Zo'n neus als ik heb. Je exacte woorden waren: "Al heb je een royale neus, daarom hoef je nog geen neusvermommer op te zetten; laat je neus maar gewoon de vrije loop.'

'Welke dombo heeft dat gezegd?'

'JIJ, Jas!'

'Ik? Ja, oké, maar dat meende ik toch niet? Duh. Dat was gewoon binnen de vier muren van ons hoofd. Ik bedoel, we hadden het over een ZOGENAAMDE neusvermommer. Ik bedoelde niet dat je ECHT jezelf moest zijn. Dat is toch stom?'

Ik kon haar wel vermoorden. Als ik die stomme pony van haar nou eens aanviel, stikte ze misschien in die stomme wijngum, en dat zou dan mooi zijn.

Helaas begon Jas het nu echt interessant te vinden. Ze zei: 'Even kijken of ik het goed heb: hij moet kiezen tussen jou en Slome Lindsay? Jemig, weet zij dat ook? Want als zij het weet, ben jij zo dood als een pier. Dooier.'

Bedankt.

| 13.30 uur | Beneden ging de bel en even later stormde Tom de kamer in. Hij zei: 'Hallo Paheka, zoals onze Maori-vriendjes zeggen! Leuk je weer te zien!' En

16

hij gaf me een dikke jongensknuffel. Het was echt fijn. Vooral omdat ik in dit leven als het zo doorgaat waarschijnlijk nooit meer een jongenstrui tegen mijn gezicht zal voelen.

Hij ging op het bed zitten en keek ons aan en zei: 'Oké, waar hadden jullie het over? Lippenstift?'

We trokken allebei een beledigd gezicht. Tom ging verder: 'Eh... wereldvrede, de spitsen van het nationale elftal? Zoenen?'

Ik zei met alle waardigheid die ik in me had: 'Ik heb wel iets anders aan mijn hoofd dan jongens, Tom. Er is meer in het leven, weet je.'

Hij zei: 'Dus het is uit tussen jou en de Italiaanse Hengst?'

'Nee, nou ja, misschien wel... O, weet ik veel.' En omdat het zo fijn was om met een jongenspersoon te praten flapte ik het hele verhaal eruit. Voor een jongen is Tom namelijk nog net niet helemaal volslagen gek.

Aan het eind ging hij boven op Jas' uilenfamilie liggen en zei: 'Wauw!'

Ik keek hem aan.

Hij keek mij aan. 'Wauw wauw en nog eens wauw.'

Jas zei: 'Ja, hè? Vond ik ook al.'

Hallo, zijn ze nou soms de telepathische tweeling of zo?

Ik zei tegen Tom: 'Wat denk jij?'

Hij zei: 'Nou ja, hij heeft natuurlijk net een relatie achter de rug en tja, hij ziet er goed uit, hè? Niet dat ik van de verkeerde kant ben of zo. Maar het is wel waar. Hij kan zo'n beetje elk meisje krijgen.'

Jas zat te knikken alsof Tom dokter Phil was, psychiater te Hollywood. En ze ging heel dicht bij hem zitten. Zielig gewoon.

Tom ging verder: 'Georgia, denk je niet dat hij, je weet wel, een beetje bang is dat jij een beetje... eh... apart bent?'

Ik zei: 'Apart? Hoezo apart?'

Tom zei: 'Nou, toen hij je voor het eerst vroeg of je iets wilde drinken begon je spontaan te discodansen.'

O gotterdegod, kom ik dan nooit los van mijn eigen ge-
stoordheid?

Ik zei: 'Wat moet je anders als je jongenslokkers aan elkaar plakken?'

Jas zat nog steeds zogenaamd wijs voor zich uit te knikken. Ze zei tegen Tom: 'Ja, ja, ik snap wat je bedoelt. Misschien durft hij gewoon niets met haar te beginnen, en neem
het hem maar eens kwalijk.'

Ik wilde haar net bij de keel grijpen toen haar moeder op
de deur klopte en zei: 'Mag ik even binnenkomen, Jas? Papa en ik gaan naar de volkstuintjes en daarna gaan we misschien nog een potje kaarten, dus in de keuken staat iets
lekkers. Ik weet hoe jullie kunnen eten! Dag.'

Haar Mutti en Vati gaan naar hun volkstuintje. Jas' moeder had kaplaarzen aan en een normaal formaat broek voor
een moeder en een vest. Haar Vati weet vast niet eens wat
een leren broek is. Mijn Vati heeft een circusauto en mijn
moeder kwam gisteravond thuis met haar T-shirt binnen-
stebuiten. Hoe moet ik dan weten hoe ik me moet gedragen? Waarom zou een LiefdesGod ook maar iets met mij
te maken willen hebben? O nee, nu alsjeblieft niet gaan janken.

Tom keek me aan en sloeg een arm om me heen. 'Moet
je horen, Georgia, als hij je niet snapt dan is dat zijn pech.
Je bent top; dat weten we allemaal.'

Zelfs Jas probeerde ook aardig te zijn. 'Ja, je bent, eh…
top, en je bent zo, je weet wel… jij. Ik bedoel, je zou jij
niet zijn als je jij niet was, toch?'

Wat kletste ze nou weer?

Tom rommelde in zijn rugzak. 'Ik moet je iets laten zien,
Georgie.'

O hellupie, nu ging hij natuurlijk zijn watersalamanders
of zo tevoorschijn halen, en dat op zo'n moment. Hij gaf
me een stapeltje foto's. Fijn, ze waren van zijn reis naar Kiwi-a-gogo. Wat leuk. Maar niet heus.

Ik bekeek ze een voor een. Bomen, bomen, schapen, bomen, Nieuw-Zeelandse gasten met hele grote schoenen en korte broeken en rare baarden. En de mannen waren al even lelijk!!! Hahahahahaha. O, hou je kop, brein. Nog meer schapen, uitwerpselen van een wombat, spuitende geisers, nog wat baarden, schapen, bomen, schapen en... toen zag ik de foto van je-weet-wel. De Enige Echte SeksGod en Hartenbreker. Lachend in de camera. Met zijn mooie donkerblauwe ogen. Bruin van de zon. In korte broek in een rivier. Godzijdank had ik hem met vaste hand afgewezen en voelde ik er niets bij.

een minuut later

Grrrrrrr. En ook jammie.

thuis, in mijn slaapkamer van pijn

19.00 uur | Ik voelde me net het derde wiel aan de wagen bij Jassie Plassie. Al dat gefrunnik en gegiechel, het is gewoon triest. Ik had net zo goed de vrouw van de Onzichtbare Man kunnen zijn. Mevrouw Onzichtbare Man. Het ging de hele tijd van kusserdekuskus, 'Oooo Tom, wat vind je van mijn nieuwe schoenen? Ooooo Tom, ik heb een nieuwe uil.' Triest. Ik zou dat nooit doen waar anderen bij zijn. Maar daar hoef ik me ook geen zorgen over te maken, want als Masimo Slome Lindsay kiest ga ik toch voor de rest van mijn leven in een lesbisch klooster wonen.

vijf minuten later

Als ik niet eens met mijn beste hartsvriendin kan praten omdat ze het zo DRUK heeft met haar vriendje is het leven echt *merde*.

Nou, ze bekijkt het maar: als zij Tom belangrijker vindt dan mij, dan is dat haar verantwoordelijkheid.

Ze kan in haar sop gaarkoken.
Tot ze een ons weegt.
En Robbie ook.
Ik wil hem niet in mijn hoofd. Er is geen plaats meer in de taartwinkel van ellende; het is er al druk genoeg.
En trouwens, Masimo is mijn enige echte ware.
Hoop ik.

tien minuten later

Ik haat Jas. Mijn zogenaamde beste vriendin.
Maar dit kan ik je wel vertellen: ze zal nooit weten hoeveel pijn ze me heeft gedaan. Want ondanks de pijn heb ik nog steeds mijn trots.
Dat geef ik voor niets en niemand op.

een minuut later

Jas gebeld.
'Wat denk je dat Masimo gaat zeggen? Denk je dat hij iets met me wil? Zou jij iets met me willen als je hem was?'
'Hé, begin nou niet weer met die lesbische shit.'
'Jas, ik vraag je alleen om je voor te stellen dat je hem bent en hoe je dan over mij zou denken. Ik bedoel, je zou Slome Lindsay toch zeker niet leuker vinden dan mij?'
'Ze heeft best mooie armen.'
'Jas, dat is het foute antwoord. Het goede antwoord is: "Natuurlijk zou ik jou het leukst vinden, Georgia, lekker wijf dat je bent."'
'Als je het antwoord al weet, waarom vraag je het me dan nog?'
'En trouwens, hoe bedoel je, ze heeft best mooie armen? Ze is een wandelende tak, dus ze heeft stakerige stomme rotarmen. En raar genoeg voor een wandelende tak is dat nog lang niet alles – ze heeft een stom rotvoorhoofd en stomme rotvoeten en...'

'Ik heb haar voeten nog nooit bloot gezien. Jij wel? Wanneer heb je haar voeten dan gezien?'

'Jas, ik weet niet of ik haar voeten wel eens gezien heb, maar ik weet wel dat ze triest zijn. Trouwens, hou nou eens op over haar voeten. Haar achterlijke voeten kunnen me niets schelen.'

'Ja zeg, ik begon niet over die voeten. Ik probeerde alleen maar beleefd te zijn.'

Ik knalde de telefoon op de haak. Misschien heb ik een klein zenuwtoevalletje.

Ik moet vlug even iets zoets eten.

in de keuken

Natuurlijk weer niets te eten.

Ik moet en zal suiker hebben.

vijf minuten later

Doe nooit suiker op je brood. Jasses, wat smerig.

19.30 uur Ik moet vlug bedenken wat ik aan doe op de dag dat hij bij me langskomt. Het zou wel eens het verschil kunnen betekenen tussen gelukkigheid en ongelukkigheid.

Hij mag me in elk geval niet in mijn schooluniform zien. Dat herinnert hem er alleen maar aan dat ik op school zit.

Ik ga mijn glimlach maar eens oefenen voor de spiegel.

19.40 uur O, balen, er zit een onderhuidse puist op mijn kin. Mooi. Dan heb ik vrijdag tenminste een mooie rijpe, knalrode, met pus gevulde tweede kin.

vijf minuten later

Typico, mijn puistenspul is op. Ik kan er wel wat parfum

op doen, dat helpt soms ook. Wat staat er ook al weer in
CosmoGIRL vis-à-vis onderhuidse puisten?

vijf minuten later

Het schijnt dat je ze naar buiten moet lokken, zodat ze hun
kop opsteken. Je moet stomen. Met zo'n stoomding.

tien minuten later

Ik heb anderhalf jaar met mijn hoofd boven een pannetje
kokend water gehangen, en hoewel mijn gezicht felrood en
druipnat is, zit die stomme puist nog steeds knus in zijn holletje.
   Bij de schoonheidstips in de *Cosmo* staat dat je ze ook met
een kompres tevoorschijn kunt lokken. Wat kan ik nou eens
als kompresdingetje gebruiken? Een zakje met kruiden, staat
hier.

in de badkamer

Ik heb net even in het 'medicijnkastje' gekeken en daar zitten een paar beschimmelde oude sinaasappels in, een poot
van Karel het Paard en wat gedroogde kattenpoep. Gad-
verdamme.

in de slaapkamer van Mutti en Vati

Ik heb likdoornpleisters in een la gevonden. Misschien kunnen die ook wel als kompres dienen. Ik plak er gewoon een
op mijn onderhuidse puist.

een minuut later

Goh, dat staat leuk. In de omgekeerde wereld.
   Maar wie zei dat liefde geen pijn deed?

En wie zei dat er likdoornpleisters bij kwamen kijken?

20.10 uur Jemig, mijn puist klopt. Ik hoop dat die likdoornpleister annex kompres niet ook nog andere dingen tevoorschijn lokt. Ik heb geen zin om zonder kin wakker te worden.

dolend door het huis, eenzaam als een wolk

20.15 uur Je zou zeggen dat ik een wees was, zo weinig aandacht besteden mijn ouders aan me. Ze zijn jaren geleden vrolijk lachend en zingend vertrokken, nadat ze mij voor een hele dag een schamel tientje hadden gegeven. Al uren zijn ze ergens mensen de stuipen op het lijf aan het jagen.

Ik haat ze.

Het is een beetje griezelig om alleen thuis te zijn. Zelfs de poezenbeesten zijn nergens te bekennen. Stel dat er een ontsnapte gevangene bij ons inbreekt om eten en zo te gappen?

Hij zou zo weer weg zijn, dat kan ik je wel vertellen.

tien minuten later

Ik had nooit gedacht dat ik nog eens blij zou zijn met het gepruttel van Vati's circusauto met zijn halve paardenkracht, maar ja hoor.

Ik rende de trap op naar mijn kamer.

gekkenalarm
een minuut later

Bonk bonk, stamp. Waarom kan niemand bij ons thuis gewoon binnenkomen? Dat loopt maar rond te klossen terwijl half verhongerde mensen met twee kinnen proberen te slapen.

Mam kwam mijn kamer in. Ik snap niet waarom ze eigenlijk nog een eigen kamer heeft.

Ze kwam op mijn bed zitten en keek naar me. Wat denkt ze dat ik ben? Iemand om naar te kijken of zo?

Ze zei: 'Mag ik vragen waarom je een likdoornpleister op je kin hebt?'

Ik zei: 'Ach, laat me toch met rust.'

'Georgia, wat is er met je? Even serieus, je lijkt zo zorgelijk en verdrietig, wat is er?'

Ik weet niet precies hoe het kwam, maar ik vertelde het haar. 'Ik zei tegen de Italiaanse Hengst dat ik hem als vriendje wilde, en toen zei hij: "O, dat is een ernstige zaak," weet je, met dat gave accent of hoe je dat noemt, en toen zei Dave Hahaha: "Stel dat je iemand heel leuk vindt en je raakt die persoon kwijt," en Jas zei: "Slome Lindsay heeft mooie voeten en misschien houdt hij daar wel van"… misschien houden ze daar ook wel van, die Italianen, het is een oud volk en misschien vallen ze op voeten… en toen kreeg ik een onderhuidse puist op mijn bord, dus pakte ik de likdoornpleisters… en vrijdag kiest hij, dat is over vijf dagen… en de klap op de dinges is dat de Enige Echte SeksGod, wiens naam ik in dit leven nooit meer zal noemen, met een korte broek aan in een rivier stond, vast om op te scheppen tegenover zijn wombatvriendjes… O, wat heeft het allemaal nog voor zin?'

Voor een achterlijke idioot en iemand die vrolijk en onbekommerd met haar noenga-noenga's te koop loopt was mama eigenlijk best aardig. Het leek wel alsof ze me begreep.

Wat ik wel verrassend vind, want meestal snap ik zelf niet eens waar ik het over heb.

En ík zit in mijn hoofd. Jammer genoeg.

| 22.00 uur | Mama gaf me een zoen en ik liet me zelfs door haar knuffelen. Heel even. Ze zei dat

de likdoornpleister niet zou helpen, maar morgen koopt ze een zalfje waardoor de puist uitdroogt.

Ze zei dat ik mezelf tot vrijdag bezig moet houden met een lijstje met dingen om te doen, zodat ik geen tijd heb om gek te worden.

Goed idee. Ik ga meteen een lijstje maken.

twee minuten later

Dit is mijn lijstje:
Leren normaal te doen.

| 22.35 uur | Mama legde Libby bij me in bed. Ze sliep al, met haar zwembril en snorkel nog in haar

handjes. Ze had ook het beeldje van Onze Lieve Heer bij zich, of Sandra, zoals hij heet als hij zijn barbiejurk aan heeft en zijn make-up op. Hij is Libby's nieuwe beste 'vwiend'. Ik keek naar mijn zusje in mijn halfdonkere kamer. Ze is zo lief als ze slaapt. Haar wimpertjes zijn lang en krullend en ze heeft zo'n schattig roze pruilmondje. Ik kroop tegen haar aan en ze draaide zich in haar slaap om en sloeg haar armpjes om me heen. Aaaaahhhhh. Ik zei zachtjes: 'Welterusten, zusje van me. Ik hou van je.'

En zij zei slaperig: 'Trusten, Rooie. Ik vin je bief.'

Aaaahhhh. Zij vindt me tenminste nog lief.

Toen fluisterde ze: 'Rooie, ik heb in mijn broek gepoept, o jee.'

| 00.00 uur | Na bliksemsnelle verwijdering van mijn stinkzusje lig ik weer in mijn eentje in mijn bed

van pijn. Niet helemaal in mijn eentje, want er is nog een restje kak achtergebleven en Sandra/Jezus ligt ook nog bij me in bed.

| 02.00 uur | Werd wakker van een droom.

Ik droomde dat ik een gesprek had met Jezus. Hij had de pest in omdat hij zijn jurk niet mooi vond en omdat zijn lippenstift niet bij zijn teint paste. Daardoor zag hij een beetje oranje.

Zou mijn onderbewuste me proberen duidelijk te maken dat ik eens wat godsdienstiger moet worden?

maandag 20 juni

| 08.00 uur | De Dikke Man (Vati) schreeuwde onder aan de trap: 'Georgia, kom je bed uit! NU! Over vijf minuten zit je met je kont aan de ontbijttafel.'

O, wat is hij toch weer grof. En hoe durft hij de naam van mijn kont ijdel te gebruiken?

Mijn lieve kleine zusje kwam onverwacht mijn kamer binnenvallen om Sandra op te halen. Ze droeg een doorkijk regenponcho en een piepklein broekje dat ze waarschijnlijk aanhad toen ze nog een baby was. Nog waarschijnlijker is dat ze het heeft gejat van een arm onschuldig kindje op haar crèche. Ik moet eens tegen Mutti zeggen dat ze tegen de andere moeders zegt dat ze hun kleintjes niet met Libby alleen moeten laten. Ze kwam naar me toe, heel langzaam doordat ze met dat piepkleine broekje alleen maar piepkleine stapjes kon nemen, stapte in bed, pakte Onze Lieve Heer en begon hem te knuffelen.

Ik zei: 'Ik moet opstaan en naar school, Libbs.'

Ze zei: 'Knuffeliebuffelie.'

We knuffelden even en ik gaf haar een zoen boven op haar hoofd. Is het normaal dat je de cornflakes van je zusjes hoofd kunt eten?

Mama kwam binnen gestampt in een outfit bedoeld voor tienerprostituees. 'Georgia, ERUIT! Het is al tien over acht. Je komt te laat.'

Ik zei: 'Te laat waarvoor? Zes uur ellende en fascistische

praktijken in Stalag 14, gevolgd door twaalf uur extreme verveling en verhongering thuis?'

Ze luisterde niet eens. Ze zei: 'Stel je niet zo aan. Wat ben je toch een toneelspeelster.'

Is het leven altijd zo?

bij het panden toetsen
tien minuten later

Ik wou dat het vrijdag was en ik het allemaal achter de rug had. Masimo komt naar me toe en zegt: 'Sorry, Georgia, maar ik kan niet je enige echte ware zijn. Hoe jij zeggen in jouw taal? O ja... doei doei chick, ga een leven zoeken!'

Dan kan ik me weer gewoon gaan vervelen en depressief zijn.

een minuut later

Ik heb een boterham uit de keuken gehaald om de dood op afstand te houden. Tijger lag in zijn mand lekker op iets te kauwen. Hij krijgt meer te eten dan ik.

Op weg naar buiten hoorde ik mam krijsen als een speen-varken. 'Bob, Bob, die lelijke haarbal eet mijn panty op. Grijp hem, grijp hem!!! Drijf hem in een hoek met die stoel!'

Toen hoorde ik iets vallen en papa schreeuwen en vloeken. Mama was nog niet klaar: 'Natuurlijk is je been niet gebroken, Bob. Maar dat maakt ook niet uit, pak hem... O shit, nu zit-ie in het washok. O goeie god, hij poept op het strijkgoed. Nu is het mooi geweest! Ze vliegen eruit, ze vliegen eruit, zeg ik je!!!'

| 20.40 uur |

Jas zat met Tom op haar muurtje toen ik de straat in sjokte. Ze keken naar iets in een bruine papieren zak. Jas praatte met een heel raar meisjesstemmetje dat ze altijd opzet als Stukkie in de buurt is. Ik zweer het, nog even en ze begint te slissen. Zielig. Ze ging van:

27

'Ooooooo, Stukkie, ik vind het zoooooo interessant! Moet je zien, Georgia.' En ze stak de bruine papieren zak naar me uit.

In de zak zat een salamander. Tjonge, dat is wel weer ver voorbij de Vallei van de Stapelgekken, op de grens van de Wereld van de Knettergestoorden.

Jas zei: 'Hij heeft een heel aparte tekening. Ik neem hem mee naar biologie om hem aan mevrouw Baldwin te laten zien.'

Ik zei: 'Ja, goed plan. Slijmbal.'

Maar ze hoorde niet eens dat ik haar een lerarenkontenlikker noemde, want ze had het veel te druk met dom doen tegen haar vriendje.

Op de hoek moest Tom de andere kant op. Hij gaf haar een zoen op haar wang en Jas stond zo aan haar pony te frunniken dat ik dacht dat ze een plotselinge aanval van disco-inferno had. Eindelijk namen ze afscheid. Maar pas nadat zij ongeveer twee triljoen jaar kusjes naar hem toe geblazen had, die hij dan weer zogenaamd opving en terugblies.

Ze was weer eens helemaal de weg kwijt in Jasland. 'O, het is zo fijn fijn fijn fijn om hem weer hier te hebben.'

Ik zei: 'Vind je het fijn om hem weer hier te hebben?'

Maar ze vatte 'm niet. Ze begon gewoon weer opnieuw. 'O ja, het is zo fijn fijn fijn fijn om hem weer hier te hebben. Ik zou nooit geen vriendje kunnen hebben, dat zou ik zo triest vinden. Stel je voor dat je geen vriendje hebt. O, nou ja, jij kunt je dat natuurlijk best voorstellen.'

Ze kan toch zo'n trut zijn. Ik heb haar niet geslagen, want ik hou niet van geweld, en ze liep zo hard dat ik haar geen schop kon geven. 'Wat ben je toch een goede vriendin, Jas. Het is bijna griezelig, zo meevoelend als jij bent.'

'Weet ik – zal ik je eens wat zeggen? Soms lijkt het wel alsof ik Toms gedachten kan lezen.'

'Echt? Je bedoelt dat hij naar je kijkt maar niets zegt, en dat je dan toch weet wat hij denkt?'

'Precies.'

'Ja, toen hij net naar je keek kon ik zijn gedachten ook lezen.'

'Echt?'

'Ja, hij dacht duidelijk: hé, ik heb per ongeluk een imbeciel als vriendinnetje genomen.'

hinkend richting Stalag 14

Ik praat niet meer met Jas. Ze is zo gewelddadig als wat. Misschien moet ik eens naar een steungroep voor slachtoffers van geweld binnen vriendschappen. De ARGGG (Anonieme Rebellen tegen Geweld door Gestoorde Gekken).

dagopening

Ik zit helemaal aan het eind van de rij Azen naast Rosie. Niet op mijn gewone plek naast Rambo Jas. Ze heeft Ellen, Julia en Roro op wijngummetjes uit haar geheime voorraad getrakteerd, maar dat kan mij niet schelen want voor mij is ze een druppel in de oceaan. Dat ze een vriendje heeft komt alleen maar door mijn voortreffelijke kwaliteiten als stalker. Als ik er niet was geweest zou ze nu nog steeds mejuffrouw Zielig zijn, opgesloten in de wachtkamer van het leven.

een minuut later

Net als ik.

O god.

Zelfs Rosie met haar schouderdiscodansje op 'De Heer is mijn herder' kon me niet opbeuren. Hoewel, toen ze 'Hij zal mij geleiden naar grazige panty's' zong brak er iets in me en kreeg ik samen met de hele Club van Azen de slappe lach. De hele Club van Fascistische Leraren ging van sssssst.

Smal, onze geliefde en olifantachtige directrice, lilde weer dat het een lieve lust was. Ze had een ontzettend aantrekkelijke kanariegele trui aan. Daar zijn zeker tien schapen voor nodig geweest. Als ze door het lint gaat begint ze van top tot teen te trillen. Maar elk onderdeel trilt apart. Kinnen, halskwabben, voorgevel. Als er zoiets bestond als drilpuddingworstelen zou ze er een kei in zijn.

een minuut later

Ja, klets maar door, hoor. Gaap gaap. Waar had ze het over? '...Niet rondhangen op de wc's... In mijn tijd was je blij als je een doos had om in te wonen... Nog maar negentien dagen en dan voeren we onze versie van *Macbeth* op – ik hoop dat jullie het allemaal al tegen jullie ouders gezegd hebben...' Blablabla. Mocht ze willen.

Opeens hoorde ik als een blindengeleidehond mijn naam door de grijze mist van verveling. Terwijl ik langzaam bij bewustzijn kwam hoorde ik haar zeggen: 'Georgia Nicolson en Rosie Mees komen meteen na de dagsluiting even naar mijn kamer.'

O god allemachtig, wat heb ik nu weer aan mijn fiets hangen?

Ik keek naar Rosie en zij keek naar mij. Ik fronste mijn wenkbrauwen en zij fronste haar wenkbrauwen. Ik keek naar de Club van Azen en fronste mijn wenkbrauwen en zij fronsten terug. (De Club van Azen bedoel ik, niet mijn wenkbrauwen. Ik bedoel niet dat mijn wenkbrauwen een eigen leven leiden.)

Wat hebben we nu weer fout gedaan?

Toen we in een roes van gefronste wenkbrauwen de aula uitliepen stond Arendsoog vanuit het niets als de bruid van Dracula voor ons en blafte: 'Hou op met dat stomme gefrons!'

Ik zei tegen Rosie: 'Nu is het kennelijk ook al een halsmisdaad als je je wenkbrauwen fronst. Schud in godsnaam niet per ongeluk je hoofd.'

In de wachtkamer van de angst zitten behalve Rosie en ik
een stel doodsbange eersteklassers met hun staart te spelen.
Woeha.

Roro zei: 'Weet je nog, dat staartengebeuren met de
Domme Tweeling?'

Ah, de Domme Tweeling. Jackie en Alison. Ze hadden
poten tot kunst verhoven, voor ze wegens winkeldiefstal
van school werden geschopt. Neem nou hun beroemde gebruik van eersteklassers als makkelijke stoel. In een onge-
kende vlaag van inspiratie hebben ze zo'n kleine pieper zelfs
een keer met superlijm aan een bankje vastgelijmd. Tijdens
hun staartencampagne knipten ze in het voorbijgaan de
staarten van eersteklassers af en hingen ze als trofeeën aan
hun rugzak.

Rosie zei: 'Wat zou er van de Dommerds geworden zijn?'

Ik zei: 'Laten we hopen dat ze in de bak zitten.'

twee minuten later

Smal liet de bibberende kleintjes als eerste binnenkomen.
Ongeveer vijf minuten later kwamen ze rood aangelopen
en huilend en met de hik weer naar buiten. Ik gaf een van
de twee een snotlap en vroeg: 'Wat hadden jullie gedaan?'

Het piepertje met rood haar zei: 'We... we... hadden een
muis met een... een... beha aan... op het bord in het... in
het... biolokaal getekend.'

Ik zei: 'Prima, meiden, ga zo door; we rekenen op jullie.'

Rosie gaf ze een klap op hun rug – een beetje te hard geloof ik. Ik dacht dat hun longen naar buiten zouden komen. Ze zei: 'Goedus werkus, kleinus gekkus.' En ze liepen heel blij weg.

Ik zei: 'Ik denk dat ze ons zien als een lichtend voorbeeld
van vrouwelijkheid.'

En Rosie zei: 'Ja, maar je moet niet vergeten dat jij knettergek bent.'

Toen hoorden we onze geliefde akela gillen: 'Hier komen.'

Daar gaan we weer. Een uitbrander voor iets wat we natuurlijk helemaal niet gedaan hebben. Wat het dan ook zijn mag.

Smal zat aan haar bureau driftig te schrijven. De stoel waar ze waarschijnlijk op zat (als ze niet in de lucht zweefde) werd geheel aan het oog onttrokken door haar drilpuddingachtigheid. Zou ze misschien een speciaal verstevigde stoel hebben? Er bestaat vast een speciaalzaak met circusmeubels waar ze haar benodigdheden vandaan haalt. Moet je je voorstellen hoe groot haar badkuip moet zijn! O neeeee, nu heb ik een nakende Smal in mijn hoofd!

Na een hele tijd keek Smal op.

Wat hadden we gedaan?

'Deze krijgen jullie van me terug.'

Wauw, dat was nog eens een verrassing! Ze gaf me een tasje. Het waren de bizonhoorns!!! De terugkeer van de bizonhoorns! Yessss! De hoorns die ik speciaal voor de Azen uit Hamburger-a-gogo had meegenomen. Ik voelde aan de hoorns en dacht terug aan toen ik ze voor het eerst op had, op een rodeostier/barkruk in Gaylords met '*Rawhide*' op de achtergrond. Laat niemand beweren dat de Hamburgertjes behalve Elvis niets aan onze cultuur hebben bijgedragen. Zoals ik altijd zeg tegen iedereen die maar horen wil (d.w.z. niemand): we hebben juist veel te danken aan onze kleine Amerikaanse vriendjes – vooral dingen die met een 'h' beginnen: hamburgers, hillbilly's, howdy doody en eh… hoorns enzovoort.

Smal ratelde maar door. 'Ik hou ook best van een grapje, maar voor alles is een tijd en een plaats en onder Duits hoor je geen bizonhoorns op je hoofd te hebben. Jullie zijn twee slimme meiden, maar helaas verspillen jullie je talent aan gekkigheid. Maar met gekkigheid kun je je brood niet verdienen, hoor.'

Ik zei maar niet: 'Mevrouw Wilson lukt het anders best,' want zoals Smal al zei, voor alles is een tijd en een plaats en de tijd heelt alle honden et cetera.

Ik was blij dat ik de hoorns terug had en ik vond Smal eigenlijk best aardig. Ze is helemaal niet zo'n slechte olifant, als je er goed over nadenkt. Toen we de deur uitliepen kreeg ik nog even zin om te doen alsof ik zo'n grappig buitenaards wezen was, zoals in *Startrek* of zo, en te zeggen: 'Goedendag, ik verlaat uw ruimteschip in vrede.' Maar toen dacht ik, eh, nee.

Duits

Herr Kamyer is vanmorgen per ongeluk als sukkel naar zijn werk gekomen. Zijn broek is zo kort dat het grenst aan het bermudagebeuren. En voor zo'n mouwloze geruite pullover bestaat geen enkel excuus. Zelfs niet als je bent grootgebracht op een dieet van *Spanferkel*.

Ik staarde naar hem. Hij deed letterlijk pijn aan je ogen. O ja, als sukkel staat Herr Kamyer zijn mannetje wel. Hij keek terug en knipperde met zijn ogen. '*Guten Morgen*, Georgia en Rosie.'

We sprongen in de houding en zeiden: '*Jawohl Kommandant.*'

Rosie en ik zaten naast elkaar op de slaapstoelen helemaal achter in de klas. Bij sommige leraren mogen we om een of andere onbegrijpelijke reden niet bij elkaar zitten. Het schijnt iets te maken te hebben met een concentratieprobleem. Ik deed mijn kauwgummetje uit en legde mijn hoofd op mijn armen voor een tukje. Maar ik voelde een stel hysterische kijkers op me gericht. Ik deed mijn ogen open. Het was Jas, die strak naar me zat te kijken. Kijk zoveel als je wilt, mevrouwtje Kijkerpersoon. Ze wilde zoooo graag weten waarom we naar Uitbrander City moesten en zo blij teruggekomen waren. Maar zij is de laatste die nog iets over mij te weten komt.

Een mens kan gewoon niet slapen onder Duits – je begint net in te dutten en het geschreeuw begint alweer. Het is een en al *Achtung!* en *Schnell!* en *Raus, raus!* en meer van die *Spanferkel.* Jeetje zeg. Nu ik toch wakker was kon ik net zo goed iets doen. Ik haalde de hoorns uit het tasje. Ik schudde Rosie wakker en zei: 'Kijk eens naar mijn schoot.'

Ze zei: 'Zoals ik al eerder gezegd heb, Georgia, je bent een aantrekkelijke meid en zo, maar ik heb geen belangstelling.'

Ik zei: 'Nee, kijk nou even. Kijk goed. Geniet van het uitzicht. De bizonhoorns zijn terug!' Ik verzon een dansje met de hoorns op mijn handen.

Rosie zei: 'Laat de vlaggen wapperen, er komen weer mooie tijden!'

pauze

Jajaja, ik lig dan wel op de pijnbank van de liefde, maar ik heb de bizonhoorns als troost. Onderweg naar het hoofdkwartier van de Azen achter het sportveld zei ik: 'De bizonhoorns zijn een symbool van hoop, ik voel het aan mijn water. Dat Smal ze teruggaf is een teken van het kindeke Jezus, het begin van een nieuw tijdperk.'

Ellen zei: 'Wat, eh, wil je... eh, bedoel je dat mensen spiritueler worden en teruggaan naar de natuur en beter voor de aarde zorgen en...'

Is ze wel lekker? Ik zei: 'Nee, het betekent dat Masimo van mij zal zijn, van mij van mij helemaal van mij.'

Ik zei het tegen de hele club behalve Jas, die me als een gek *ignorez-vous*te. Eigenlijk was het omgekeerd *ignorez-vousen,* want ze deed net alsof ze geïnteresseerd was in wat Ellen zei. Ik zei tegen de anderen: 'Ergens verheug ik me wel op de herfst, want dat betekent de terugkeer van de baret. Stel je voor: een koude ochtend in Stalag 14, voor ons ligt een grauwe dag vol lesbische viezeriken en sadistische "leraren"; maar aan de horizon, voorbij de jongens van Foxwood die hun scheten in brand steken en ook verder een stelletje losers zijn, verschijnt een verschijnsel dat vrolijk stemt. Is het mogelijk? Is het waar? Tegen de grijze lucht tekent zich een ongelooflijk tafereel af. Het is de terugkeer van de Club van Azen in hun winteruniform. Op hun hoofd trots de baret met toegevoegde bizonhoorns. Yesssss!'

De hele club bracht spontaan de Klingon-groet. Misschien komt alles toch nog goed.

twee minuten later

Op ons hoofdkwartier zette Rosie haar hoorns op. Ze paradeerde ermee rond, genietend van de pracht en praal van haar eigen hoorns. Toen we ze allemaal op hadden zei ik: 'Misschien is dit een goed moment om nog eens aan het Azenmanifest te herinneren, want bepaalde mensen, die ik om ze de schande te besparen niet zal noemen – jij dus, Jas – lijken de Club van Azen te vergeten zodra er jongens in beeld komen.'

Jas zei niets, ze zette alleen haar hoorns recht en duwde haar pony plat. Voor het geval ze net als vanochtend een gewelddadige uitbarsting kreeg ging ik vlug achter Rosie staan, want ik had nog steeds een zere enkel.

Rosie zei: 'Ja, een voor allen en allen voor een en eentje voor onderweg enzovoort.'

Jas stond nog steeds aan haar pony te frunniken, dus Rosie sloeg een arm om mij en Jas heen en zei: 'Vergeet het verleden, geef elkaar een hand en laat de hoorns hun werk doen.'

Mabel, Julia en Ellen keken ons aan. Mabel zei: 'Een voor allen en een voor onderweg en allen voor een.'

Ik stak als eerste mijn hand uit, wat errug aardig van me was aangezien ik degene was die een schop had gekregen. Maar zo ben ik. Altijd de eerste om iemand de hand van de vriendschap te reiken.

Een klein minuutje later stak Jas ook haar hand uit. Rosie trok haar wenkbrauwen op en de hele club begon wijs (nou ja) te knikken. Rosie zei: 'Geef elkaar een knuffel.'

Jas knuffelde me een klein beetje en ik knuffelde haar min of meer terug. We hadden licht noenga-noengacontact dus ik deed vlug een stap naar achteren en zei: 'Eh... groepsknuffel, groepsknuffel.'

Er volgde een knuffel waardoor mijn ogen bijna uit mijn hoofd plopten. Julia was zo hyper dat ze gilde: 'Een voor allen en allen voor en alles ineen voor... eh... hiep hiep hoera voor het lieve vaderland en de Club van Azen!!!'

Aan het eind dansten we de horlepiep (een spontaan ideetje van mij, want ons landje is nu eenmaal een zeevarende natie en de horlepiep een zeemansdans).

Toen kwamen Slome Lindsay en Verbazingwekkend Saaie Monica de hoek om, met hun toezichthoudersbuttons op. Kan het nog suffer? Het antwoord is nee. Ze lopen altijd achter ons aan; hebben ze zelf geen leven? Lindsay heeft iets griezeligs met haar hoofd gedaan. In het weekend is haar haar op een of andere manier dertig centimeter gegroeid. Ze heeft extensions laten zetten. Wat een vergissing. Het is extreem ordi en niet cool. Ze zei: 'Aaaah, zijn de meisjes dansjes aan het oefenen voor hun slaapfeestje? Hebben jullie dan ook limonade en biscuitjes?'

Hoe kwam Masimo in godsnaam op het idee om met haar te zoenen? Jasses met een rietje. Ik rechtte waardig mijn rug en verschoof mijn hoorns, die in de opwinding van de horlepiep een beetje scheefgezakt waren. 'Wat zit je haar... eh... apart, Lindsay, als ik het zeggen mag.'

'Jij mag helemaal niets zeggen. Ik heb zelfs liever niet dat je ademhaalt.'

De bel ging voor het einde van de pauze. En ze ging verder: 'Naar binnen, want als een van jullie ook maar een minuutje te laat is krijgen jullie allemaal een aantekening.'

Ooooo, wat zijn we nu bang. Maar niet heus. We liepen met z'n allen mopperend en klagend terug naar school.

Lindsay riep ons na: 'En zet die hoorns af, stelletje gekken.'

Ik zei: 'Heel aardig. Wat is ze toch ontzettend aardig. Altijd even aardig, die Lindsay.'

| 16.15 uur | Met Jas en Roro naar huis gelopen. Jas gaf me zelfs een arm. Eigenlijk kan ze er hele-maal niet tegen om geen vriendinnen met me te zijn. Zeker niet als het leven *merde* is.

Roro zei: 'Niet te geloven dat onze hoorns nu ALWEER in beslag genomen zijn. Wat hebben we toch een rotleven in Stalag 14! We zouden naar de krant moeten schrijven. Door alle trauma's die we oplopen zijn we op ons zeventiende natuurlijk vet aan de drugs.'

Ik zei: 'We hadden ze nog maar twee uur terug. Shit shit en nog eens shit. En weer zijn we hoornloos.'

Jas zei: 'Dat niet alleen, we moeten ook nog twee middagen nablijven.'

Ik zei tegen haar: 'Heb je er wel eens aan gedacht om de ziekenhuizen af te gaan om de mensen op te vrolijken, Jas? Zo ja: niet doen – meer zeg ik niet.'

Rosie zei: 'Toen we onder bio de bizondans deden dacht ik dat mevrouw Baldwin aandachtig naar die salamander van Jas stond te kijken.'

Jas zei: 'Dat deed ze ook. Ze was heel geïnteresseerd in zijn bijzondere tekening. Tom zei dat dit de enige was die…'

Ik zei: 'Jas, kun je nu even je mond houden?'

Ze had natuurlijk meteen weer de pest in en zei: 'Het kwam door die stoelen die omvielen dat ze opkeek.'

Merde.

Jas wist van geen ophouden. 'En zelfs toen had ze er misschien nog niets van gezegd. Maar jij moest weer zo nodig bijdehand doen.'

Wat? Wat? Waarom is het nou weer mijn schuld? Ik zei tegen mevrouwtje Tuttebol: 'Waarom wijst de beschuldigende vinger altijd mijn kant op?'

En Jas blaatte: 'Omdat ze vroeg wat je aan het doen was,

37

en toen zei jij dat het een nationale Vikingfeestdag was. Dat trok ze niet.'

Boe.

Toen Jas naar huis was begonnen Roro en ik te huppelen om onszelf op te vrolijken. Maar ik denk dat onze huppeldagen geteld zijn, mijn noenga's zijn hartstikke zwaar. We moesten bij het park op een bankje gaan zitten.

thuis

Geen nieuws van het gekkenfront. Ik zakte onderuit op de bank.

O god – dins, woens, donder en de hele vrijdag nog voor ik weet wat mijn lot in de liefde zal zijn. Waarom moet hij er een hele week over nadenken? Waarom zei hij niet gewoon: 'Natuurlijk wil ik je enige echte ware zijn. Je bent een Sekspoes van de bovenste plank.'

Dave Hahaha zou dat gezegd hebben.

een minuut later

Ik mis Dave Hahaha eigenlijk wel een beetje, maar ik kan hem moeilijk bellen. Ik weet nog steeds niet wat hij bedoelde met dat ik het niet snapte over hem en mij. Wat snap ik dan niet?

Ik dacht dat hij zei dat we maar één keer jong zijn en dat we moeten krabben waar het kriebelt.

Bedoelt hij dat hij mij aan mijn kriebel wil krabben?

Woeha.

Nee, dat kan hij niet bedoelen.

Of wel?

tien minuten later

Toen Masimo zei dat hij het me over een week zou zeggen, had hij het toen over een week in jongenstijd of in meisjestijd? Als een meisje een week zegt bedoelt ze ook een week, maar bij een jongen kan een week van alles zijn. Net als wanneer ik 'later' zeg tegen de Azen; dan bedoel ik ook 'ik zie je later weer'. Maar als een jongen 'later' zegt kan het ook best 'ik dump je' betekenen.

twintig minuten later

O, wat een saaie boel! Ik ga naar het park om mijn zelfbewuste loopje te oefenen, want daar heb ik de ruimte om echt met mijn armen te zwaaien. Ben benieuwd of het werkt en mensen me zelfbewust vinden.

park

Daar zijn we dan. Dus, schouders naar achteren, zwaaien met die armen, loop, loop en zwaai, zwaai. Voeten recht voor me in een rechte lijn. Heupen van links naar rechts. Dit is een bekende jongenslokkende beweging. Zwaai, zwaai, heup, heup. Aaah ja, het werkt al, ik voel me heel zelfbewust. Dag boom, ik barst van het zelfvertrouwen. Hoofd omhoog.

En toen zag ik Dave Hahaha en zijn vrienden voorbijkomen. Sinds het 'stel dat wij eigenlijk bij elkaar horen'-incident had ik hem niet meer gezien. O, laat hem alsjeblieft normaal doen en me niet *ignorez-vous*en. Hij zag me en keek me aan, maar zonder te lachen. O nee. Dit was vreselijk. Hij wilde geen vrienden meer zijn. Ik moest bijna huilen.

Maar toen riep hij: '*Ciao*, Georgia. *Ho due gatti e un maialino!*'

Ik zei: 'Watte?'

Hij schreeuwde: 'Je hield toch zo van de Italiaanse taal? Je hield toch zo van Italiaanse jongens? Je weet wel, handtasjes in het maanlicht, "Ooo, wat vind je van mijn enige broek?" en dat soort dingen. "Ooo, als de regen mijn haar nou maar niet verpest."'

O jee, hij nam me in de maling en was boos op me enzovoort. Hij was veranderd in Dave Gnagnagna. Maar toen lachte hij naar me. Hij heeft toch zo'n leuke lacherige lach. Ik was zo opgelucht. Ik lachte terug, en ik beteugelde niet eens mijn neusvleugels, zo blij was ik dat we vrienden waren. Maar hij kwam niet naar me toe of wat dan ook, hij liep gewoon door met zijn vrienden. Toen riep hij nog: 'Hé moppie, je hebt geen idee wat ik tegen je zei in het Pizzalands hè?'

Ik zei: 'Eh, jawel hoor.'

En hij zei: 'Niet waar.'

'Misschien best wel.'

'Ja, misschien wel, maar mooi niet. Ik zei: "Ik heb twee katten en een klein varkentje."'

'Dat lieg je.'

Hij zei: 'Weet je dat wel zeker?'

Waar heeft hij het over?

Toen tikte hij tegen zijn neus. 'Zie je vrijdag op de *Mac-Waardeloos*-repetitie. Hou je panty in de aanslag!'

Brutaaltje.

Maar hij deed best aardig, dus misschien mag hij me nog steeds wel. Ik hoop wel dat hij me nog mag.

twee minuten later

Ik weet nog steeds niet wat hij bedoelde met iemand kwijtraken die voor je bestemd is.

Bedoelt hij echt hem en mij?

Bedoelt hij dat hij mijn enige echte vriendje zou willen zijn?

een minuut later

Waarom zegt hij dat hij twee katten en een klein varkentje heeft?

Jongens zijn echt een compleet raadsel.

En dat is *le* feit.

Van het zuiverste water.

Oscar was buiten aan het spelen. Hij hield een balletje hoog, luisterde naar muziek en at nonchalant een Mars, en dat allemaal tegelijk. Hij zei: 'Hoe gaat-ie?' op een manier die hij zelf heel cool vond.

Maar hij keek even niet naar de bal en de bal vloog over de muur. Hij deed net alsof dat de bedoeling was, want hij liet zich op zijn knieën vallen en schreeuwde: 'Yesssss!'

Wat mankeert die jongens toch?

20.00 uur | Kan het misschien nog smeriger? Mam zei dat Tijger haar kniekousjes had opgegeten, en als ik ze uit zijn achterste zag steken moest ik ze eruit trekken!

Ik zei tegen haar: 'Mam, heb je zo weinig kniekousjes dat je zelfs een paar aantrekt dat in Tijgers achterste heeft gezeten?'

En zij zei: 'Nee, ik ga hem ermee wurgen.'

Mijn moeder is een errug gewelddadig en onredelijk mens.

in bed

23.00 uur | Ik ben bezig met positief denken en zwaai druk met mijn armen, want ik werk aan een dankwoord voor als de LiefdesGod komt zeggen dat hij mijn vriendje wil zijn.

Oké, dit is mijn dankwoord: 'Aah, Masimo, wat een verrassing dat je er weer bent... Au, harige gek die je bent!'

Dat was het niet. Simon sprong net van de kast en gebruikte mijn hoofd als landingsplaats; dan hoeft hij niet direct op de grond te landen en doen zijn pootjes geen pijn.

Maar goed, verder met mijn dankwoord: 'Aah Masimo, *che bella sorpresa*! Wat een leuke verrassing dat je er weer bent van...' Wacht even, wat is 'vanavond' in het Italiaans? Vanavemondo? Dat zal wel niet – straks denkt hij dat ik meteen weer over zoenen begin. Ik zoek het later wel op in mijn *Italiaans voor stomkoppen*. Maar goed, verder met mijn dankwoordio: 'O, wil je dat ik je vriendin word? Nou, dat is dan *mucho bello*. Graatjes.'

Kort en bondig, dat is volgens mij het hele eieren eten.

dinsdag 21 juni

07.30 uur — Vannacht over Masimo gedroomd, alleen sprak hij niet met zo'n leuk Pizzalands accent; hij zei dingen als 'Vet cool, man' en 'Klep dicht, gast.' En het griezeligste was dat hij in een band speelde die de Johnny's heette. Ik was bij een optreden en hij kwam naar me toe en zei: 'Pak je tassie, chickie, we gaan los.' En terwijl we wegreden op zijn scooter begon hij met een heel plat accent de titelsong van Rocket Power te zingen. Badend in het zweet werd ik wakker. Wat zou het betekenen?

woensdag 22 juni

18.00 uur — Hoelang duurt deze marteling nog? Aan de ene kant lijken de dagen heel erg lang, kruipende slakkendagen; aan de andere kant is het over een paar uur al vrijdag. Hoeveel uur precies? Oké, het is nu zes uur 's avonds, dus plus zes vanavond en dan plus vierentwintig voor morgen, en dan... eh, hoe laat zou hij vrijdag bellen? Telt hij vanaf het moment dat hij het me over een week zou vertellen? Zou ik wel doen. Het was kwart voor zes toen hij dat vrijdag zei, dus een week later is kwart voor zes komende vrijdag. Maar met jongens weet je het nooit. Stel dat hij telt vanaf het moment dat hij thuiskwam. Was het toen kwart over zes? Maar misschien is hij niet rechtstreeks naar huis gegaan, misschien is hij eerst nog naar de winkel gegaan om iets te knabbelen te kopen en kwam hij daar nog iemand tegen, waardoor hij pas om acht uur thuis was. Godogodogod.

In totale paniekio Jas gebeld.

'Jas, denk je dat hij langskomt of dat hij belt?'

'Eh, kweenie.'

'Ja, maar wat denk je? Wat zou jij doen als je me moest zeggen of je wel of niet mijn vriendje wou zijn?'

'Eh... maar ik wil je vriendje niet zijn. Dat zou ik gewoon tegen je zeggen. Sterker nog... ik zeg het je.'

'Jas, jij bent wat in vaktermen een imbeciel heet.'

Natuurlijk had Jas zoals gewoonlijk onmiddellijk en zonder enige reden enorm de pest in. Maar ik was niet in de stemming voor die pest van haar. Ik zei: 'Wat denkt Tom?'

Ze zei: 'Wacht even, ik ga het vragen.'

Goeie genade, zijn ze soms een Siamese tweeling?

Een paar minuutjes later kwam ze terug en zei: 'Tom zegt dat hij wat speurwerk zal verrichten om te zien of hij erachter kan komen.'

Ik bedankte haar, maar diep in mijn hart weet ik niet of het wel zo'n snugger plan is om Radio Jas erbij te betrekken. Nou ja, te laat.

Tom gaat vanavond naar het snookercentrum, waar de Stiff Dylans een toernooi spelen. Ogotterdegodgod.

Jas zegt dat ze me morgen alles zal vertellen want Tom belt haar meteen als hij iets weet. Hoe moet ik zo nou ooit in slaap komen?

donderdag 23 juni

<u>bonkend op de deur van Jas</u>

De moeder van Jas deed open, fris gewassen en normaal gekleed. Met een glimlach op haar gezicht. Gossie. Het is hier zo relaxed en gewoon allemaal, geen wonder dat Jas een vriendje heeft en niet de

43

hele tijd op de pijnbank van de liefde ligt. Ze is goed op-
gevoed, niet ondervoed zoals ik.

Jas d'r moeder zei: 'Wil je een boterham, lieverd, of een
gekookt eitje?'

Een gekookt eitje!! Wauw, het was net *De Vijf* – straks
kwam Jas' vader nog met de krant en een opgewekte grijns
de kamer in ook.

een minuut later

Jas' vader kwam met de krant en een opgewekte grijns de
kamer in. Wat nog bijzonderder is, is dat hij wel naar me
lachte maar niets zei. Geen woord. Is dat cool of niet? Hij
vroeg niets en maakte geen domme grap, hij ging gewoon
zijn krant zitten lezen. Als een normale vader. Hij heeft vast
een pijp.

een minuut later

Hij heeft ECHT een pijp!!!

En hij steekt hem niet eens aan. Hij zit er gewoon huise-
lijk aan te lurken zonder mensen lastig te vallen met rook etc.

Ongelooflijk.

onderweg naar Stalag 14

08.30 uur | Ik wacht tot Jas me over het snookercentrum
vertelt. Ik ga het haar niet vragen, daar ben
ik mooi te trots voor. Ze liep toonloos te neuriën. Errug
irritant. Toen begon ze over *MacWaardeloos* en haar rol als
Lady Macbeth. Wie maalt er nou om haar? Ze zei: 'Heb je
al geoefend met huilen, voor als Macduff erachter komt dat
zijn vrouw en kinderen dood zijn?'

Ik keek haar alleen maar aan. Als ze denkt dat ík moet
oefenen met huilen, dan vergist ze zich: zij moet oefenen,
als ze nog even doorgaat met onzin.

Maar ze is zo gevoelig als een baksteen. Ze kwekte: 'Weet je, als ik dat spatding doe... moet het dan zijn "WEG verdoemde spat"? Of "Weg VERDOEMDE spat"? Of "Weg verdoemde SPAT"?'

Toen brak er iets in mij. Als ze denkt dat ik het op een moment als dit over spatten kan hebben, is ze nog gekker dan ik dacht. Wat bijna onmogelijk is. Ik zei: 'Het maakt niet uit hoe je spat zegt, Jas.'

Ze zei op zo'n arrogant toontje: 'Jawel, volgens mij draagt het juist het hele stuk.'

'Ik heb het niet over het stuk. Ik zeg alleen dat het niet uitmaakt hoe je spat zegt, want tenzij je me nu onmiddellijk vertelt wat er gisteren bij het snookeren gebeurd is leef jij niet meer als we *MacWaardeloos* opvoeren. Wat zei Tom?'

Ze werd een beetje zenuwachtig en begon aan haar pony te frunniken. Ik gaf haar nog net geen tik op haar vingers. Toen zei ze: 'Wil je een kauwgummetje?'

'Nee.'

'Een zwarte wijngum dan? Die vind je altijd het lekkerst en...'

'Jas.'

'Oké, maar denk eraan, ik ben maar de boodschapper.'

'Wat?'

'Ik vertel het je alleen omdat je erom vroeg; het is verder niet mijn schuld.'

dagopening

Lindsay was naar het snookercentrum gekomen en had twintig minuten met Masimo staan praten, en daarna was ze weer weggeglibberd. Ik vroeg Jas of het eruitzag alsof ze stonden te zoenpraten, maar ze zei dat Tom weer was gaan snookeren. Echt iets voor een jongen. Ze denken alleen maar aan stomme dingen. Tom weet niet eens wat Lindsay aanhad, maar hij heeft Jas wel precies verteld in welk par-

45

tijtje hij hoeveel punten scoorde en hoelang al die partijtjes duurden.

Dat interesseert toch niemand?

Mijn leven is dubbel *merde*. Met een rietje. En dat is een feit.

pauze

De Azen deden hun best om me op te beuren. Maar zelfs toen Rosie haar rok in haar onderbroek stopte en de klas in liep alsof ze er doodnormaal uitzag werd ik niet vrolijker.

Ik weet zeker dat Slome Lindsay expres als een echte tuthola met die belachelijke extensions liep te zwiepen, alleen om mij te laten voelen dat ze met Masimo gepraat had. Met een beetje geluk blijven ze in haar kluisje hangen en rukt ze haar kop eraf.

in bed

19.30 uur

Onder de dekens. Met het licht uit.

Mam kwam binnen. Ze zei: 'Wat doe je in bed?'

Ik zei van onder de dekens: 'O gewoon, kogelstoten en dergelijke.' Wat denkt ze dat ik doe, in bed met het licht uit?

Natuurlijk werd ze meteen weer kwaad. 'Wat heb je toch een grote mond, Georgia. Het is toch niet mijn schuld dat je bezeten bent van een of andere jongen? En ik ben ook je knechtje niet. Je laat alles maar achter je kont vallen. Ik ben ook een mens, hoor, en ik ben er niet alleen om op te ruimen en te koken en te poetsen.'

Daar leefde ik van op, ondanks mijn tragiek. Ik kwam overeind en haalde de komkommerschijfjes van mijn ogen. 'Koken en poetsen? Poetsen?? Koken?? Ik heb vanavond een boterham met kaas gegeten, en dat na een dubbel uur wiskunde. EN ik moest hem zelf smeren. EN Simon at de helft ervan op toen ik even in de koelkast keek of er nog iets groens in lag tegen de scheurbuik. Er lag inderdaad iets groens in, maar ik lust geen MOS.'

Mam schreeuwde: 'Hé, ik weet wat: waarom maak JIJ de koelkast niet eens een keertje schoon? En trouwens, heb ik ook niet het recht om mezelf te zijn? Je weet dat ik op donderdag naar aerobics ga. Dat houdt me slank.'

Ik zei: 'Nee hoor.'

Toen stormde ze briesend en tierend en stampend de kamer uit: 'Je bent VRESELIJK!!!'

En ze smeet de deur achter zich dicht. Heel kinderachtig.

| 19.45 uur | Ik ben niet vreselijk. Ze is zelf vreselijk. |

| 20.00 uur | Hoe laat is het? Acht uur pas. O goeie god. |

| 21.00 uur | Ik kan niet slapen. Misschien is mijn Franse huiswerk wel het enige dat me van Masimo |
en Lindsay kan afleiden. Waar hebben ze twintig minuten over staan praten?

| 21.10 uur | Vooruit met de geit. Hoofdstuk veertien in mijn Franse boek. Jacques en Julie en hun |
fantastische excursie naar het Bois de Boulogne. Waarom vinden ze het zo leuk om naar een of ander bos te gaan? Het is net een Franse versie van Jas en Tom. Ik zou een boek kunnen schrijven met de titel: *Jas en Tom en hun fantastische excursie naar het Bois de Boulogne.*

Natuurlijk zou niemand het kopen, want het zou oersaai zijn.

samedi

Jas a dit avec sa bouche stupide: 'Oooo, c'est magnifique, c'est la bonne salamander!!!'

Tom a dit: 'O lala.'

Les idiots chantent: 'Non, je ne regrette rien!!!'

Enzovoort. Grutjes!!! Ik ben benieuwd hoe het verder gaat. Ik kan bijna niet wachten! Misschien vinden ze wel een *escargot* en... zzzzzzzzzzzzzzzzzzz.

NOG NET NIET HELEMAAL GEK

vrijdag 24 juni

De vogeltjes fluiten, de wolken wolken, mijn hart bonst.
Stel dat hij na Stalag 14 naar me toe komt? Stel dat hij spontaan besluit me van school te komen halen? Dat doen jongens namelijk. Ze denken niet na over de voorbereidingen die getroffen moeten worden – make-up en stemmingsregulatie en dergelijke dingen.
O, Jezus op een houtvlot.
En bovendien, als hij het leeftijdsverschil te groot vindt moet hij me natuurlijk helemaal niet met mijn stomme schoolbloesje en -stropdas zien. Ik neem voor de zekerheid mijn gewone kleren mee. Dan ren ik na de *MacWaardeloos*-repetitie gauw even naar het tuthok.

een minuut later

Maar stel dat hij helemaal niet weet dat we *MacWaardeloos* repeteren en op de normale tijd komt, als ze de gevangenispoort opengooien?
Zelfs al hou ik het heel simpel – lipgloss, foundation, mascara –, dan kost het me toch algauw tien minuten, met omkleden erbij twintig. O, wat stresserend is dit! Waarom moeten we eigenlijk naar school? Ik zit er nu al een jaar of tien op en wat heb ik daarmee bereikt? Dat ik nog steeds op school zit.

| 07.40 uur | Mijn rugzak aan het pakken. Ik heb mijn kleren en alle noodzakelijke make-up erin ge- |

stopt, dus er is natuurlijk geen ruimte meer voor mijn boeken en huiswerk. *C'est la vie.* Ik ga toch eigenlijk alleen maar naar school om de tijd te doden en te voorkomen dat mijn Mutti en Vati de bak in vliegen. Al weet ik niet zo goed waarom ik me daar druk om maak. Mama doet nog steeds alsof ik lucht ben. Ze gedraagt zich errug onvolwassen, moet ik zeggen.

08.10 uur Mam zei niet eens goedemorgen en ze keek ook niet op toen ik in de keuken bezig was. Ze heeft nog steeds de pest en de dampen in om wat ik zei over haar slanke lijn. Je weet wel, dat ze die niet had. Misschien ging dat een ietsiepietsie te ver.

08.15 uur Alhoewel. Toen mam zich vooroverboog om Libby een hapje ei met spek te geven zwiepte ze met haar noenga-noenga's een kop thee van tafel.

08.20 uur Onderweg naar buiten zei ik nog 'Latie!', maar mevrouw Enorme Voorgevel zei niets terug.
Helaas had mijn lieve zusje wel aandacht voor me. Ze zoende me op mijn mond en zei: 'Lekker eten, Rooie, jammie.' En ze wurmde een stukje spek met ei naar binnen. Het was niet wat je noemt ongekauwd.

08.30 uur Jas hangt de koele kikker uit. Het is bloedirritant en maakt me nog net niet helemaal gek. Ik wilde weten wat zij dacht dat de LiefdesGod zou beslissen. Ze weet dat dit de grote dag is. Ze probeert filosofisch te doen over mijn situatie, alsof ze een of andere baardige monnik is of zo. Ze zei: '*Que sera sera*, wat zijn moet dat zal zo zijn, de toekomst die blijft geheim, *que sera sera*.'
Ik zei: 'Waag het niet om nog een keer *que sera* te zeggen, Jas, want je krijgt een optater.'

Ze trok alleen haar wenkbrauwen op, maar ik weet zeker dat ze in haar hoofd expres *que sera* zei.

dagopening

In de aula schuifelden we langs Stomme String (Lindsay) en haar verbazingwekkend saaie vriendinnetje Monica. Geen spoor van Arendsoog, blindengeleidehond en *Oberführer*. O jee, nou maar hopen dat ze niet door een motorbende gekidnapt is.

Smal is vandaag helemaal in het bruin, waardoor ze eruitziet als een reusachtige oliebol. Zoals gewoonlijk had ze iets deprimerends te zeggen: 'Stilte, meisjes.' We besloten maar even niet heel grappig als duiven te gaan koeren, want ze lag duidelijk op ramkoers. Ze zei: 'Het is me ter ore gekomen dat er meisjes zijn die hun rok aan de bovenkant oprollen zodat hij korter wordt. Madame Slack zei dat ze vanochtend nog een groepje meisjes zag lopen, en vanuit de verte dacht ze eerst dat ze hun rok zelfs helemaal vergeten waren. Dit zijn bespottelijke praktijken die de school een slechte naam bezorgen. Er komt nu onmiddellijk een einde aan.'

O, ja hoor, klets maar een eind raak. Heeft ze niets belangrijkers om zich druk over te maken? Wat is er zo verschrikkelijk aan om een stukje been te laten zien en zo de natie wat op te vrolijken?

Smal was klaar met benen en ging nu op iets nog saaiers over. 'En dan nu iets over brandbestrijding en -preventie – een uiterst belangrijk en ernstig onderwerp. Meneer Attwood heeft jullie iets te zeggen.'

Ik zei tegen Roro: 'Laten we hopen dat het "dag, tot nooit" is.'

Roro zei: 'Ik dacht dat hij met pensioen zou gaan. Waarom leeft hij eigenlijk nog? Waarom zit hij nog niet hoog in de conciërgehemel?'

Elvis slofte naar het podium en zette zijn bril recht. 'Dank u, mevrouw de rector. Het spijt me te moeten zeggen dat er vorige week tijdens de toneelrepetities in de aula verschillende incidenten zijn voorgevallen aangaande het onwettige gebruik van brandblussers. Ze zijn gebruikt voor iets wat door een stelletje debielen een "schuimgevecht" wordt genoemd. Ik raakte bij zo'n zogenaamd "schuimgevecht" betrokken en kan met mijn linkeroor nog maar net weer helemaal goed horen. Maar nog ernstiger is dat ik een jongen van Foxwood een branddeken over het paard in de gymzaal zag hangen. Toen ik de boosdoener vroeg waarom hij een belangrijk brandbestrijdingsmiddel gestolen had zei hij (en Elvis keek in zijn zielige verklikkersdagboekje): "Ik dacht dat het paard het misschien koud had, want al is het juni, het kan 's nachts behoorlijk frips worden."'

De Club van Azen kreeg de slappe lach, maar we moesten er een hoestbui van maken want anders waren we met z'n allen op de bon geslingerd. Ik was dat gebeuren met het paard en Dave Hahaha helemaal vergeten. Ik had kunnen weten dat Elvis het zou verlinken.

Elvis praatte maar door. 'Zou die jongen het ook zo grappig hebben gevonden als hij in brand was gevlogen en de deken waarmee ik hem normaal zou hebben geblust zoek was geweest? Wie vindt het nu nog een leuke stunt?'

Ik stak mijn hand al half op, maar Madame Slack had kennelijk de boze-blikkendienst van Arendsoog overgenomen, dus ik kreeg opeens heel erg jeuk aan mijn oor.

Mooie tijden, mooie tijden! Arendsoog schijnt vandaag vrij te hebben en zal wel naar een of ander congres (het wreedheidscongres, denk ik) zijn om haar kinderhaat bij te spijkeren. Straks komt ze terug met een zweep en een Duitse herder. Maar het goede nieuws is dat ik vanmiddag net zo veel make-up op kan doen als ik wil! We hebben alleen mevrouw Wilson en Herr Kamyer. Hoera!!!

Ik zei tegen de Azen: 'Ik ben zoooooo hyper. Ik voel een zenuwstuip aankomen, op de voet gevolgd door een rolberoerte. Als ik zou roken zou je door de rook mijn hoofd niet meer kunnen zien. Ik zou er tien tegelijk opsteken. En een pijp erbij. Zeg iets om me te kalmeren.'

Ellen zei: 'Hoe laat... hoe laat belt hij... Ik bedoel, zei hij dat hij nou bellen of nei hij ik zie je   want als dat zo is, dat van ik zie je bedoel ik, nou, dan betekent dat... eh, ik weet niet wat het betekent.'

Ik zei: 'Hartstikke bedankt, Ellen.'

Julia zei: 'Wat hebben jongens eigenlijk precies voor zin?'

Mabel zei: 'Pardon?'

Julia zei: 'Nee echt, waarom zijn ze er eigenlijk?'

Rosie zei: 'Om mee te zoenen.'

Julia zei: 'Ja oké, maar verder? Ik bedoel, neem Rollo. Ik vind hem best leuk en zo, maar we gaan naar de film en we zoenen. Of we gaan een blokje om en we zoenen. Of we zoenen alleen maar. Best oké hoor. Maar meestal heb ik geen flauw idee waar hij het over heeft. Hij zegt dingen als: "Ik heb de hele eerste jaargang Donald Duck." Wat moet ik daar nou weer van denken?'

We haalden allemaal meelevend onze schouders op.

Rosie zei: 'Volgens mij maak je de fout dat je met ze probeert te praten. Het is veel rustiger om een buitenlands vriendje te hebben die ook nog eens knettergek is.'

Jas hing weer eens haar superieure onderbroek uit. 'Ik ben het niet met je eens, Rosie. Tom en ik doen van alles samen. We gaan veel verder dan zoenen.'

Ik ging van 'Woeha'.

Maar ze was alweer naar Jasland vertrokken. 'Ik bedoel, het belangrijkste is dat je iemand kiest met wie je dingen gemeen hebt.'

Alsjeblieft, laat haar niet over schelpdieren beginnen.

Rosie stopte een jamkoekje in haar mond, maar wist toch nog even *une* bom te laten ontploffen: 'O ja, dat vind ik ook. Daarom gaan Sven en ik trouwen.'

Wat?

We keken haar allemaal aan.

Ze keek terug.

Ik zei: 'Echt niet.'

Rosie deed haar mond open en liet me haar half opgegeten jamkoekje zien. Jemig. Heeft de spanning van het leven met Sven haar eindelijk tot de hoogste staat van krankzinnigheid gedreven?

twee minuten later

Ik heb mijn best gedaan om Rosie te laten bekennen dat ze een geintje maakte, maar ze bleef volhouden dat ze een aanstaande bruid was. Ik zei: 'O ja, en sinds wanneer dan? Sinds een minuut geleden, toen je Jas d'r geklets over haar en Stukkie zat was?'

Rosie zei: 'Je bent zo wantrouwig, Georgia. Sven heeft me weken geleden al gevraagd.'

Ik zei: 'Hoe wist je eigenlijk wat hij vroeg? Normaal begrijpt niemand een woord van wat hij zegt.'

Rosie zei: 'Hij zei het met zijn ogen.'

'Kunnen zijn ogen nu ook al praten?'

Ze was compleet aan het wauwelen en bazelen en raaskallen.

Maar Ellen liet zich helemaal meeslepen door het spannende vooruitzicht van Rosie's aanstaande ingebeelde bruiloft. Ze zei: 'O, ik ben dol op trouwerijen. Mag ik bruidsmeisje zijn?'

Rosie zei: 'Jep, jullie mogen allemaal bruidsmeisje zijn. Ik denk dat ik Herr Kamyer ook vraag. Hij heeft er echt de benen voor.'

Toen de bel ging zei ik tegen het blozende bruidje: 'Wat

vinden je ouders ervan? Zijn ze, eh, dolgelukkig dat je op je vijftiende gaat trouwen met een krankzinnige?'

Ze zei: 'Zeker weten.'

wis

Hoewel ik weet dat het de grootst mogelijke lariekoek is heeft Rosie me wel van mijn eigen leven afgeleid. Soms vergeet ik zomaar een tijdje dat ik op de pijnbank van de liefde lig.

een minuut later

Wat me eraan doet denken – nog maar vier uur en het aftellen kan beginnen. Ik kan maar beter alvast beginnen met mijn foundation. Ik doe de foundation, blusher en een eerste laag mascara onder wis, dan kan ik de tweede laag en de eerste laag oogschaduw onder natuur doen. Mevrouw Wilson zegt er toch niets van. En als ze er toch wat van zegt maak ik haar gewoon wijs dat ik me voorbereid op mijn rol. Want iedereen weet dat die Schotse gasten zichzelf vroeger blauw verfden.

vijf minuten later

Het is best moeilijk om mascara op te doen terwijl je zo'n beetje plat op je tafeltje moet gaan liggen om niet gezien te worden. En zinloos. Mevrouw Stamp heeft het weer eens over vierkantswortels. Wat me eraan doet denken dat ik wel een beetje rammel. Ik vraag me af of Jassie Plassie nog ergens wat kaasdingesjes in haar hoeken en gaten verstopt heeft.

Rosie is briefjes aan het schrijven:

Lieve allemaal,
Sven en ik hebben gekozen voor een Vikingbruiloft, ter

ere van Svens vaderland. Hier komt wat zwaar tillen bij kijken, want het is traditie dat de bruid en bruidegom in een nagemaakt Vikingschip door het dorp gedragen worden. Ik stel voor dat jullie allemaal alvast beginnen te trainen. En dan denk ik vooral aan Ellen. Ik wil niet dat de feestelijkheden overschaduwd worden door enige vorm van labbekakkerigheid.
Met vriendelijke groet,
de Aanstaande Bruid
P.S. Binnenkort maak ik een bruidslijst
P.S.2 Tot die tijd wordt een kauwgummetje ook zeer op prijs gesteld.

Ik schreef terug:

Beste Aanstaande Bruid,
Hopelijk krijgen we de bizonhoorns nog voor de bruiloft terug. Trouwens, wanneer is het eigenlijk?
Met vriendelijke groet,
een vriendin die je van harte geluk wenst.

pauze

Het komt erop neer dat de bruiloft gepland staat op Rosies eenentwintigste verjaardag.
Ik zei: 'Ik kan het goed hebben, maar is dat niet pas over ruim vijf jaar?'
Rosie zei: 'Ja, maar een Vikingbruiloft moet je nooit overhaasten. Je moet genoeg vaten hebben.'
'Vaten?'
'Ja, voor de mede en zo. Zal ik jullie een Vikingversie van "Laten we naar de disco gaan" laten zien? Dan kunnen we dat op de receptie doen.'
Ik zei: 'Nee, dan gaat mijn foundation lopen.'
'Kom op, je vindt het vast ERRUG leuk!'
Ze liet ons allemaal naar het sportveld sjokken en deed

de nieuwe Vikingdisco-inferno voor. Voor ik het wist deden we allemaal mee. We zongen er 'Jingle bells, jingle bells' bij, want al is Rosie zogenaamd een kenner van de Vikinglandse cultuur, ze kent niet één Vikinglied.

Ik zei: 'Waarom niet "Edelweiss" uit de *Sound of Panty's*?'

Maar zoals gewoonlijk zei juf Tuttige Onderbroek (Jas): 'Dat is een Oostenrijks lied. Over Oostenrijk. En dat is niet Svenland.'

Daar gaan we weer. Ze is regelrecht geobsedeerd door landen en waar ze liggen.

Ik zei: 'Luister, Jas, het is maar een Viking-oefendans en punt één: Rosie gaat pas over vijf jaar trouwen en dan waarschijnlijk nog niet, en punt twee: we weten niet eens waar Sven precies vandaan komt. En punt drie: je irriteert me en vergeet eraan te denken dat ik op de pijnbank van de liefde lig.'

Dat snoerde haar de mond. Ze zou eens wat meer aan anderen moeten denken en minder aan zichzelf.

Dat doe ik ook altijd.

Al weet ik niet waarom, want het is saai en zinloos.

tien minuten later

We hebben de Vikingdisco-inferno geperfectioneerd. Een ware triomf, al zeg ik het zelf. En als we de hoorns eenmaal terug hebben wordt het helemaal *je ne sais quoi* en wauw en misschien zelfs VET COOL.

Vlak voor het begin van ons middagje onversneden *merde* (natuurkunde) gilde Rosie: 'Oké. Nog één keer, daar gaat ie, jongens! Jingle bell, jingle bell, geef die kat een lel, sla 'm in het ziekenhuis dan zegt-ie dankjewehel!!'

En toen deden we allemaal samen het dansje. Stamp, stamp naar links, schop, schop met je linkerbeen. Arm omhoog, stomp, stomp naar links (dat is het plundergebeuren). Dan stamp, stamp naar rechts, schop, schop met je rechterbeen. Arm omhoog, stomp, stomp naar rechts. Rondje draaien met twee handen in de lucht voor Thor (die ene gast). Dan je zogenaamde drinkhoorn naar links, drinkhoorn naar rechts, drinkhoorn recht omhoog, trillen met je billen, groepsknuf en op je knieën en keihard '*Vikingz rule!!!!!*' schreeuwen.

Yessss!

MacWaardeloos-repetitie

| 16.10 uur | Ik ben klaar met mijn postvoorbereidende opmaakwerkzaamheden. Op de gang zag ik Slome Lindsay tekeergaan tegen die eersteklassertjes die een tekening gemaakt hadden van een muis met een beha aan. Ze hield ze tegen de muur aan gedrukt. Ze keken doodsbang. Ze hadden vast haar knieën gezien. Slome Lindsay zei tegen de piepers: 'Waarom waren jullie in de pauze van het terrein af? Nou?'

Ze zeiden geen woord. Ze stonden met hun ogen te knipperen alsof Lindsay een of andere octopus was die opeens tevoorschijn was gekomen en nu allemaal vragen stond te stellen. Een begrijpelijke vergissing met dat gebrek aan voorhoofd en die extensions. Zou Masimo haar hoofd de laatste tijd wel eens gezien hebben? O ja, dat moet wel, ik denk opeens weer aan dat snookerfiasco. *Merde.* En wat is ze eigenlijk zielig dat ze zo achter Masimo aan loopt. Maar goed, de Grote Onvriendelijke Octopus wist van geen ophouden: 'Nou, ik wacht! Wat deden jullie buiten het terrein?'

De gezusters Pieper begonnen bijna te huilen, en de een zei: 'Ik... wwwwweet nnnnniet.'

Lindsay zei: 'Ach, je weet het niet. Goed, dan doen we het zo: jullie mogen er een tijdje over nadenken. Tot je het wel weet. En onder het nadenken kunnen jullie maandag na school mooi de kasten in de gymzaal opruimen.'

Een van de piepers zei: 'Maar ik heb maandag... snottersnotter... vioolles.'

Slome Lindsay zei: 'Je hád maandag vioolles. Wegwezen.'

De snotteraartjes verdwenen snotterend om de hoek. Toen ik langs Octo liep keek ik haar zo vuil mogelijk aan. Maar ik zei niets. Ik liet mijn blik rusten op de plek waar haar voorhoofd zou hebben gezeten, als ze er een had gehad. Ze voelde eraan alsof ze dacht dat er een antenne uit groeide of zo. Hahahahaha! Gedist! De voorhoofdstaarcampagne gaat door.

Ze zei: 'Heb je make-up op?'

'Voor het toneelstuk.'

Voor ze de kantine in ging zei ze: 'Ik geef je een goede raad, dame: je loopt als een lachwekkend sletje achter Masimo aan. Je bent een dom, ordinair klein kind en zo zie je er ook uit. Ik vind je belachelijk en hij vindt je belachelijk. Hij is te aardig om het tegen je te zeggen, maar tegen mij zei hij dat hij medelijden met je heeft. Doe jezelf en iedereen een plezier en hou op met jezelf voor paal te zetten. Hij is niet geïnteresseerd in iemand als jij.'

Ook al haat ik haar van hier tot Tokio en weet ik dat ze liegt, toch werd ik knalrood.

vijf minuten later

De Club van Azen stond zich in de wc's klaar te maken voor de komst van de jongens van Foxwood. De hele school was in de hoogste staat van hysterie. Ik zag zelfs een stel eersteklassers met lippenstift op. Knap gestoord, eigenlijk, want we zitten nou niet bepaald in een klooster opgesloten of zo. Sommige mensen hebben wel heel weinig zelfbeheersing als het om jongens gaat. Ik kon niet bij de spiegel om mijn definitieve make-up te checken, maar ik geloof dat ik nu een heel natuurlijke look heb. Dat geldt niet voor Ellen. Haar lipgloss zat er zo dik op, het leek wel alsof ze haar laadklep in een pot honing had gestoken. Zelfs Jas was met een wimperkruller in de weer. Waarom? Tom speelt niet eens mee in *MacWaardeloos*. Ik zei: 'Waarom krul je je wimpers, terwijl je zogenaamde geliefde niet eens komt?'

Ze sputterde wat over Lady Macbeth en zei dat de krul-wimpers een authentiek historisch detail waren, dat ze onder haar jurk een authentieke broek met een touwtje zou dragen, enzovoort, en dat tien jaar lang. Ik wou dat ik er nooit over begonnen was.

Ik vertelde de club wat Lindsay gezegd had.

Julia zei: 'Wat een megakreng.'

En Roro zei: 'Octo kletst uit haar nek.'

Mabel zei: 'Laten we haar vermoorden. Dat heeft toch niemand in de gaten.'

Aardig van ze dat ze zo meeleven en zulk verstandig advies geven, maar ik logeer nog steeds, om met Elvis (de rocker) Presley te spreken, in Heartbreak Hotel.

Onderweg naar de aula zei ik tegen Jas: 'Ze zei bijna letterlijk dat ik Masimo stalk. Hoe kan ze dat nou zeggen?'

Jas zei: 'Nou, er zit wel wat in, hoor. Alleen weet zij dat niet.'

'Wat loop je nou weer te bazelen?'

'Je bent in Hamburgerland toch nog naar hem op zoek gegaan, of niet soms?'

'Ja oké, maar...'

'Weet je nog dat je alle New Yorkers die Scarlotti heetten ging bellen...'

'Ja, maar...'

'En dat je toen per ongeluk een portie Chinees bestelde – in New York. Terwijl wij in Memphis zaten.'

Ja hoor, haal al die ouwe koeien maar weer uit de sloot.

Ik zei: 'Jas, dat was voordat ik de volwassenheid bereikte.'

Jas lachte.

Wat haar heel debiel staat.

vijf minuten later

Stel dat Masimo bij het hek staat? Ik slenter gewoon even achteloos naar buiten om te kijken.

Ik liep over het schoolplein naar het hek toe. Geen spoor van de LiefdesGod. Voor de zekerheid hield ik me toch maar aan het heupzwaai- en haarzwiepscenario. Toen ik bij het hek was kwam meneer Attwood in vol ornaat – tuinbroek, pet en brandblusser – tussen de zomerblociers vandaan. Wat heeft die gast?

Hij zei: 'Wat doe jij hier, jongedame? Je hoort in de aula te zijn. Als ik niet weet waar alle manschappen zijn, vallen er in geval van een vuurzee misschien ongemerkt slachtoffers.'

Is dit wat er van het mensdom geworden is?

in het tuthok voor een laatste make-upcheck
tien minuten later

God, ik kan mijn ogen bijna niet meer bewegen, zoveel mascara heb ik op. Ik sta op de rand van een complete inzinking. Ik ben ook een beetje nerveuzig omdat ik Dave Hahaha straks weer zie.

Bij de deur van de aula zei ik: 'Zullen we achter het podium nog even een snelle Vikingdisco-inferno doen om Dave en zijn vrienden te laten zien dat het *MacWaardeloos*-feest begonnen is?'

Jas zei: 'Ik denk niet dat Dave Hahaha geïnteresseerd is in wat jij hem wilt laten zien, als je begrijpt wat ik bedoel.'

Ik keek haar op een veelzeggende manier aan, maar ze snapte niet wat ik allemaal zei. Maar ze had iets over Dave Hahaha gezegd, dus Ellen sprong meteen in een taxi van de firma Zenuwkramp. 'Zei je dat, eh, Dave, eh, Hahaha niet geïnteresseerd is in wat... geïnteresseerd is in wat Georgia hem wil laten zien... Ik bedoel, wat bedoel je daarmee?'

Gelukkig liepen we op dat moment de aula in, en haar gepruttel werd overstemd door de jongens die 'Noenganoenga's!!!' riepen.

Dave Hahaha stond voor de hele club en deed alsof hij

ze in bedwang probeerde te houden, en tegen ons zei hij: 'Doorlopen, damez, er is hier niets te zien. Helemaal niets.' Als een politieagent bij een auto-ongeluk.

| 18.00 uur | Na de gebruikelijke anderhalf uur chaos die mevrouw Wilson 'repetitie' noemt werden we vrijgelaten uit Stalag 14. Ik rende naar het tuthok om mijn rok op te rollen en mijn zwarte kanten topje aan te trekken. De Club van Azen was nog helemaal in *Mac-Waardeloos*-stemming. Rosie deed voor de zoveelste keer haar 'hagedisoog'-stukje, maar nu improviseerde ze er 'jam-jam' bij. Straks doet ze dat bij de opvoering ook en worden we allemaal geëxecuteerd.

Maar eigenlijk zou dat een geluk bij een ongeluk zijn. Ik lig op de pijnbank van de liefde en moet elke vijf seconden naar de plee. Wat als hij er staat? Wat moet ik dan doen? Moet ik ijselijkheid tentoonspreiden of alleen een zweempje oosterse belofte om mijn lippen laten spelen? Ik liet de Azen voor me uit lopen, zodat ik me van mijn beste kant aan hem kon laten zien als ik hem zag.

Toen we over het schoolplein liepen kon ik zien dat Masimo niet bij het hek op me stond te wachten. Ergens was ik best opgelucht. Ik weet niet waarom. In elk geval hoefde ik me niet druk te maken over al die loerende loerders die zouden zien hoe ik mezelf voor schut zette. Of flauwviel, wat ik vast gedaan zou hebben. Of een broekpoep-fiasco kreeg.

Trouwens, hij zei dat hij het me over een week zou vertellen, en de week begon niet bij school, of wel soms? De week begon bij mij thuis. Dus tot ik thuiskwam hoefde ik me geen zorgen te maken.

twee minuten later

Zou Masimo het lachen vinden dat we als club naar huis lopen, of zou hij het een beetje kinderachtig vinden? Maar we lopen niet altíjd mank als de Klokkenluider van de Notre-Dame. Dat doen we alleen als het gepast is. Op saaie stukjes straat, bijvoorbeeld, of onder de les. Ik kan net zo volwassen zijn als iedereen. Denk ik.

tien minuten later

Dave en zijn vrienden kwamen van achter een paar struiken tevoorschijn en bezorgden ons bijna een hartaanval. Ellen kreeg zo'n rood hoofd dat ik dacht dat ze zou ontploffen. Ik voelde me raar, blij dat hij er was of zo. Ook al had ik hem letterlijk tien minuten geleden nog gezien.

twee minuten later

Dave deed een hele belazerde achterwaartse moonwalk, met zijn kont naar achteren en zijn kraag omhoog. Hij schreeuwde naar ons: 'Jullie zijn mijn mokkels!!!'
Rollo zei: 'Hou even op, gast, zo ben ik niet.'
Dave zei: 'Nee, alleen de mokkels zijn mijn mokkels!!!'
Ellen, die door Dave in een wandelende biet veranderd was, zei tegen mij: 'Eh, vind jij… eh, is het eigenlijk oké dat hij ons mokkels noemt? Is dat niet, eh… vrouwonvriendelijk?'
Ik zei: 'Ja, maar hij heeft het tegen ons.'
Ze zei: 'O ja, natuurlijk, ik snap het.'
Maar dat is duidelijk niet het geval. Ze is zooooo verliefd op Dave dat ze zelfs met een valse baard zou gaan rondlopen als hij het haar vroeg.
Wat trouwens best eens zou kunnen gebeuren.
Bovendien is het twaalf uur 's nachts voor ze thuis is, want ze woont precies de andere kant op.
Dave deed nog steeds de moonwalk. Hij zei: 'Oké, mokkels van me, WIE IS DE PAPA?'
Ik zei: 'Wij zeggen geen "papa", dat vinden we gaar. Wij zeggen "Vati".'

Dave zei: 'Oké, cool, WIE IS DE VATI?'

En Jas, Rosie, Ellen, Juul en Mabel en ik moesten zeggen: 'Jij bent de Vati.'

Waarop Dave, ook wel bekend als de Vati, achterwaarts over het muurtje van het plantsoen kukelde.

Très amusant.

18.15 uur — Alleen Dave en ik lopen nog kalm te kuieren. De anderen zijn allemaal naar huis. Zelfs Ellen snapte dat ze niet als een gehypnotiseerde biet door kon blijven lopen, en er kwam net een bus aan die haar kant op ging. Ik denk dat ze half hoopte dat ik zou zeggen dat ze wel met mij mee kon en dat mijn Vati haar later naar huis zou brengen. Maar vanwege het hele Masimo-gebeuren zag ik dat echt niet zitten.

Voor ze wegging zei Ellen tegen Dave: 'Tot volgende week dan maar.'

En Dave zei: 'Ik mis je nu al.'

En Ellen brak alle rode-bietenrecords. Het zal mij benieuwen hoelang het duurt voor ze aan het lulijzer hangt: 'Toen hij zei dat hij, je weet wel... eh... me miste... betekent dat nou... eh, dat hij me mist, of...?'

Toen ze weg was keek ik Dave met opgetrokken wenkbrauwen aan. Hij trok ook zijn wenkbrauwen op. Ik trok de mijne nog hoger op en begon wijs te knikken. Hij knikte terug.

Maar hij weet best wat ik bedoel. Hij weet dat Ellen smoor op hem is. En al weet hij dat niet, hij denkt geloof ik sowieso dat iedereen smoor op hem is. En hij heeft geen ongelijk. Alle meiden in het toneelstuk stellen zich vreselijk aan met hem in de buurt, zelfs als hij megabot is. Ik was blij dat we vriendelijke vrienden waren en dat ik me niet meer opgelaten voelde bij hem. Tenminste, niet erg. Het onderwerp Italiaanse Hengst vermijd ik nog steeds liever.

Toen Jassie Plassie bij haar huis was gaf ze me onverwacht een knuffeltje en zei: 'Ik hoop dat het allemaal goed gaat.

Bel me later.' Best ontroerend vond ik dat. Maar het verraadde wel dat er iets was om goed te gaan. Om eventuele vragen van Dave voor te zijn zei ik: 'Zag je dat ze me net ietsje te lang knuffelde? Ze is echt van de verkeerde kant, hoor. Ik moet beter op die lesbotekenen letten. Toen ik als Macduff over het podium huppelde stond ze ook al zo naar mijn maillot te kijken.'

Dave zei: 'Ja, wie niet?'

Ik zei: 'Nou, jij niet. Jij was helemaal gegrepen door Melanie Griffiths babeloeba's.'

'Je denkt slecht over de mens, Kittekat. Zoals je weet heb ik een groot verantwoordelijkheidsgevoel en ik wilde zeker weten dat Melanie tijdens het jongleernummer niet voorover zou kieperen en zich bezeren.'

'Verantwoordelijkheidsgevoel?'

'Jep.'

'Je bent gek.'

'Nee, jij bent gek.'

'Eh, nee hoor, JIJ bent gek.'

Hij pakte me en begon me te kietelen. O nee, kieteldood!!! De volgende stap na de kieteldood was meestal nummer vier op de zoenladder! Mijn lippen begonnen al te tuiten, alsof ze de lippen van de hond van Pavlov waren.

Toen hield hij op met kietelen. Hij sloeg zijn armen om me heen en drukte mijn armen zo'n beetje tegen mijn lijf aan. Zijn gezicht was heel dichtbij en hij keek me aan. Hij had ogen om bij weg te dromen. Er lag zo'n zachte, ik-wil-je-zoenen-blik in. Mijn brein wilde even een hartig woordje met me spreken: 'Aarde aan alle onderdelen, aarde aan alle onderdelen, en daar bedoel ik jullie mee, lippen! Niet tuiten!!! Zoenalarm, zoenalarm!!! Vergeet niet dat je een goddelijke vonk bent! Eh, ik bedoel: vergeet niet dat je de bijna-vriendin van een LiefdesGod bent.'

En net op het moment dat mijn lippen hun eigen hersens kweekten en dachten: *Krijg de pip maar, wij willen zoenen!* liet Dave me los en zei: 'Stoute stoute Sekspoes. Doeidoei.'

En weg was hij.

Jemig, ik viel bijna op mijn gezicht toen hij me losliet.

Waar was ik nou weer mee bezig?

$\boxed{\text{18.25 uur}}$ In onze straat ging ik van heup, heup, arm-zwaai en haarzwiep, voor het geval Masimo op me stond te wachten. Maar hij was er niet.

mijn slaapkamer

$\boxed{\text{18.45 uur}}$ In mijn niksie voor de passpiegel. Ik heb mijn toilettafel voor de deur gezet, zodat er niet opeens iemand binnenkomt terwijl ik in mijn nakende blootje sta.

Als ik spring petsen mijn noenga-noenga's zo ongeveer in mijn gezicht.

Dus kan ik maar beter niet springen waar Masimo bij is.

Dus. Checklist:

Hele lijf een pukkelvrije zone? Check.

Orang-oetaneffect met wortel en tak uitgeroeid? Check.

Vier lagen natuurlijke foundation? Check.

Oogschaduw en blusher zo aangebracht dat ze afleiden van minder aantrekkelijke trekken, te weten mijn giga gok. Ach, ik heb mijn best gedaan.

Haar ziet er niet uit alsof het ontploft is? Nee, meneer.

Lippenstift en lipgloss voor die subtiele suggestie van vroegwijsheid en een vleugje oosterse belofte? Lipgloss met Turks-fruitsmaak. Mmmm jammie.

Nu de over-de-schouder-noengahouder en verstandige onderbroek. Mooi. Alles stevig ingepakt.

En dan nu, kleren, mmmm... Strakke spijkerbroek, maar niet zo strak dat ik mijn been niet over zijn... scooter krijg. Of zal ik dat rokje met dat franjegeval aandoen? Ja, ja, dat is beter.

Of niet?

19.00 uur

Ik denk dat ik mijn spijkerbroek maar weer aantrek. Dat staat minder meisjesachtig.

19.15 uur

Maar ook minder sekspoesachtig. Ik trek toch dat rokje maar weer aan.

19.30 uur

Wat als het nou een beetje frips is? Spijkerbroek, denk ik.

19.45 uur

Rokje weer aan.

19.55 uur

Spijkerbroek en daarmee uit. Ik ga me niet nog een keer omkleden.

19.58 uur

Rokje!

19.59 uur

Nu is het mooi geweest. Ik heb mijn spijkerbroek aan en daarmee basta.

20.00 uur

Hij heeft nog steeds niet gebeld. Het enige minuscule lichtpuntje is dat de Zwitserse familie Knots in zijn geheel vertrokken is en ik een beetje privacy heb.

20.05 uur

De telefoon ging. Gossiepietje!!! Ik sprong de trap af. Met Tijger en Siempie aan mijn benen. Ik vond al dat ze verdacht stil waren; ze lagen dus op de gang in een hinderlaag tot ik naar buiten kwam. Ze hielden zich goed vast tot ik beneden was, ook al sloegen ze met hun kop tegen elke traptree. Voelen ze dan geen pijn?

Helaas niet. Bereikte met katten en al de telefoon en moest even diep en rustig ademhalen. Ohmmmm.

Ik nam op.

'Georgia?'

'Jas! Waarom bel je me nou?'

'Omdat ik benieuwd was of je met Masimo zat te bellen.

Ik wist niet dat je op zou nemen.'

'Waarom zou ik niet opnemen als de telefoon gaat?'

'Omdat, zoals ik al uitlegde, hij niet gegaan zou zijn als je had zitten bellen en...'

'Jas, luister, ik moet je hangen.'

'Hij heeft zeker niet gebeld, hè? Ik hoor het aan je. Je klinkt echt verschrikkelijk. Voel je je ook verschrikkelijk? Ik zou me wel verschrikkelijk voelen als ik jou was. Heb je gegriend?'

'Nee, ik...'

'Het moet verschrikkelijk zijn om gedumpt te worden. Zeker als je nooit echt, je weet wel, een...'

'Jas.'

'Ja?'

'Hou je kop.'

'Ik wou alleen maar helpen.'

'Oké, doe maar niet.'

'Oké, ik doe het al niet meer.'

'Mooi.'

Ik hing gauw op, zodat ze geen kans kreeg om me de wind van voren te geven. Nu waaide de wind dus eens uit een andere hoek. Ha ha en nog eens ha.

| 20.10 uur | De poezenbeesten uiteindelijk kwijtgeraakt door de douche erop te zetten. |

Ik moest zorgvuldig op hun kopjes richten en niet op mijn spijkerbroek spatten. Ze vinden het vreselijk om schoon te zijn en ze sprongen op de grond, niezend en rillend als een gek, en renden naar buiten om in de vossenstront te gaan rollen of zoiets.

| 20.30 uur | Misschien treedt hij vanavond op met de Stiff Dylans. |

| 21.02 uur | Of misschien sprak Slome Lindsay de waarheid en vindt hij me echt zielig. En heeft hij |

medelijden met me. En doet hij daarom zo aardig tegen me.

| 21.03 uur | Misschien komt hij wat later omdat hij nog tegen Slome Lindsay moet zeggen dat ze wel een octopus lijkt.

Mocht ik willen.

| 21.08 uur | Zou hij vanavond met haar uit zijn? O neeeee!!!!!!

Kom op, nu niet instorten.

| 21.10 uur | Ik ga mijn jongenshandleiding *Zo wordt iedere sufkop verliefd op je* raadplegen.

| 21.20 uur | O gotterdegotterdegod, ik heb het helemaal verkeerd gedaan! Hier staat dat je nooit tegen jongens moet zeggen dat je iets wilt, want dan voelen ze zich onder druk gezet. O neeeee.

| 21.30 uur | Het is nog waar ook, hè? De belangrijkste regel met jongens is dat je te allen tijde ijzig moet blijven. Ik weet nog dat Dave Hahaha zei dat ik per ongeluk ijzig tegen Masimo had gedaan door weg te rennen toen hij mijn telefoonnummer vroeg.

O, ik wou dat ik de Kriebelmeester kon bellen. Ik mis hem.

Maar gewoon als vriend.

Hij heeft de laatste tijd niets aardigs meer tegen me gezegd.

Behalve dan 'stoute Sekspoes'.

| 21.32 uur | Hij zei altijd dat ik zo gek ben als een deur, maar ook lief en grappig. En dat is aardig. Echt iets voor iemand die gewoon een vriend is.

| 21.33 uur | Maar als hij gewoon een vriend is, waarom zijn we dan tot nummer zes gegaan?

| 21.34 uur | Maar de tijd van spontaan zoenen en de Kosmische Kriebels ligt achter me. Ik zal Dave |

Maar de tijd van spontaan zoenen en de Kosmische Kriebels ligt achter me. Ik zal Dave nooit meer voelen kniplabbelen. Wat best zonde is. Kop dicht, kop dicht, stem van mijn grote rode achterste.

21.35 uur Ik weet eigenlijk niet waarom ik mijn grote rode achterste zo nodig vaarwel moet zeggen, aangezien toch niemand me vraagt of ik zijn enige echte ware wil zijn.

Ik kan mijn make-up er net zo goed weer afhalen.

21.40 uur Nee, waarom zou ik mijn huid verzorgen? Wat is het nut van een verzorgde huid als er niemand is die zegt: 'Gompie, jij hebt een verzorgde huid. Wil je de mijne zijn?'

beneden

21.45 uur Ik keek door het raam van de woonkamer de donkere straat in. Ik kan net zo goed naar bed gaan. Voorgoed. Ik keek naar de donkere lucht. Er zit daar toch zeker wel ergens een gast met een baard die om me geeft? Misschien moet ik vaker naar de kerk gaan. Mijn laatste bezoekje was niet wat je noemt een doorslaand succes – met die niet-expres in de fik gestoken bejaarde. Eigenlijk was het een hoop drukte om niks. Oudere mensen kunnen soms zo hysterisch reageren. Ik brandde gewoon een kaarsje en toen vloog het hoofddoekje van die bejaarde in de hens. Had ze maar geen acryl moeten dragen, dat is hartstikke brandgevaarlijk. Maar zelfs daarvóór had ik het al niet geweldig naar mijn zin. In zijn preek zei dominee Zeg-maar-Arnold: 'We komen allemaal alleen ter wereld en we vertrekken ook allemaal weer alleen.' Ik snap niet waarom een man van God mensen expres de put in praat.

| 21.46 uur | Maar hij heeft wel gelijk. Ik ben helemaal alleen. In mijn eentje. |

| 21.48 uur | Nu ben ik echt superdepri. Voor me gaapt de zwarte afgrond van het leven. De lange, donkere straat van de toekomst, in de verte verdwijnend in het niets.

Toen kreeg ik bijna een hartstilstand omdat Tijger en Simon plotseling op de vensterbank sprongen. Ze begonnen zielig te mauwen en keken me door het raam heen strak aan. Nou ja, Tijger dan. Ze sperden hun bek open en begonnen keihard te janken.

Het was een teken. Ze hadden mijn verdriet aangevoeld en waren op het woonkamerraam van pijn afgekomen om me te troosten. Ze huilden mee met het gehuil in mijn binnenste.

Maar het gekke was: ik hoorde geen bal. Ik zette het raam open. Ze gingen gewoon door met zielig mauwen en strak naar mij kijken.. En ik begreep waarom ik ze niet had kunnen horen. Ze namen niet eens de moeite om geluid te maken. Ze deden alleen maar alsof ze huilden.

Nou, ze blijven maar mooi buiten. Waarom zou ik aardig voor ze zijn? Niemand is aardig voor mij. Ze gebruiken me trouwens alleen maar als etengever en klimpaal, en dan gaan ze spelen zonder ook maar één gedachte aan mij te wijden.

Ik hoop dat het gaat sneeuwen.

vier minuten later

Dat zou best raar zijn midden in de zomer, maar het past wel bij mijn stemming.

En het is precies wat die gestoorde haarballen verdienen.

22.00 uur

O jottum, de Knotsjes zijn er ook weer. Ik hoor ze zingen: 'We hebben een ongeluk gehad met het autootje, met het autootje' met een verrot plat accent. Ik doe gewoon alsof ik slaap.

Ik sprong met al mijn kleren aan in bed en deed het licht uit.

Ik kroop onder de dekens en mijn voeten kwamen tegen iets zachts. Wat begon te spinnen. De poezenbeesten! Hoe hadden die mijn bed in weten te sneaken? Mijn bovenlichtje staat open, maar hoe zijn ze daar doorheen gekomen? Ze hebben vast een kattenklimtouw verstopt tussen papa's vishengels in de schuur. Het was te laat om ze de gang op te schoppen, want ik hoorde een gigantische lawaaifabriek de trap op komen. Laat het alsjeBLIEFT niet Vati zijn die volksliedjes komt zingen en er met opgerolde broekspijpen een sneu dansje bij doet.

Het was Mutti, want ik hoorde haar roepen: 'Bob, zet jij even thee? Ik stop Libbs in bed en kijk even bij Georgia.'

Toen besefte ik wat die vreselijke herrie was. Het was mijn lieve kleine zusje, snurkend als een speenvarken. Het snurken werd zachter toen mam Libby's kamer in ging, en ik hoorde haar de deur dichtdoen. Misschien ging ze gewoon weer weg. Maar nee. Mijn deur ging open en mam kwam naar mijn bed toe. Ik had mijn ogen stijf dicht, maar ik kon voelen dat ze er was. Ze fluisterde: 'Georgie, ben je wakker?'

Ik nepsnurkte. En toen voelde ik de poezenbeesten bewegen. Iets nats en ruws kwam tegen mijn voeten. O god, het waren hun tongetjes. Ze likten me met hun vieze kattentongetjes! Blèg blèg. Het was zo smerig, ik hield het niet uit. Maar ik moest me stilhouden, het móést.

Het was net als dat verhaal over Sparta dat we bij Latijn hebben geleerd. Twee jongens uit Sparta gingen kippen stelen. Ze zagen de boer aankomen, dus propten ze de kippen in hun broek (of wat mensen uit Sparta ook aanhadden). De boer zei: 'Héla, jongensus, hebbenus jullieus mijnus kippenus gezienus?' (Het is maar een ruwe Latijnse vertaling.)

En die jongens zeiden: 'Uwus kippenus? Wijus nietus hoorus.'

En de boer zei: 'Ikkus denkenus dattus jullieus...'

En al die tijd zaten die kippen in de wormvormige aanhangsels van die jongens te pikken. Na een hele tijd ging de boer weer weg en de jongens strompelden naar huis, gaven de kippen aan hun moeder en stierven aan hun wondingen. En heel Sparta vereerde die jongens omdat ze niet bezweken waren onder de druk. Latijn slaat echt nergens op, maar dat heb ik al zo vaak gezegd.

Waar was ik? O ja, zo was het dus ook met mij. Ik werd onder handen genomen door kattenbeulen. En ik mocht niet eens gillen. Mam legde een hand op mijn hoofd. Terwijl ze dat deed kwamen de tongetjes bij mijn knieholtes. O gottogod, als ze voorbij mijn knieën komen hou ik het echt niet meer uit.

22.10 uur Eindelijk gaf mam het op en ging mijn kamer uit. Ik deed het licht aan en rukte de dekens van die harige benenlikkers af. Ik zei: 'Mijn bed uit, NU!!'

Ze knipperden met hun oogjes tegen het licht. Tijger legde een grote poot op mijn been en liet zijn nagels naar buiten komen. Hij keek me aan en ik keek zo streng mogelijk terug. Ik weet dat hij heel goed snapt wat ik bedoel. Ik ben tenslotte zijn bazinnetje. Ik ben zijn haarloze reuzenbazinnetje en hij weet dat het zijn plicht is om te doen wat ik zeg. Anders kan hij naar zijn poezenhapjes zwaaien. Hij keek en keek en toen liet hij zijn tong uit zijn bek hangen. Hij speelde weer eens voor kwijlende kattendwaas! Simon keek me met een van zijn ogen aan, en toen sukkelde hij in slaap en kukelde om.

Wat heeft het allemaal voor zin?

Tijger ging er weer bij liggen en viel ook in slaap. Ik had geen fut om er iets aan te doen, dus trok ik de dekens maar weer over ons heen. Ik had zin om te huilen. En dat deed ik ook. Tranen welden in mijn ogen. Waarom overkwam dit mij? Ik ben niet echt een slecht mens. Oké, ik deed een beetje kribbig tegen Jas, maar dat was logisch. Ik wil nooit meer naar school. Lindsay weet vast wat er gebeurd is en maakt mijn leven natuurlijk tot een hel.

Ik ben zooooo ongelukkig en eenzaam.

twee minuten later

De katten begonnen als gekken te niezen onder de dekens en kropen langs me heen omhoog.

twee minuten later

Simons kopje ligt aan mijn ene kant en Tijgers kopje aan de andere. Volgens mij voelen ze dat ik pijn lijd.

vijf minuten later

Tijger stak zijn tong in mijn oor!!! Kan het misschien nog smeriger? Ik heb dan wel geen vriendje, maar met mijn kat ben ik toch maar mooi bij nummer zes op de zoenladder.

zaterdag 25 juni

08.30 uur Werd wakker en dacht dat ik blind was. Ik had namelijk mijn mascara laten zitten en daardoor zaten mijn ogen dichtgeplakt.

Ik sjokte de trap af naar de plee. Er was natuurlijk nog niemand wakker. Uit bijna alle kamers kwam gesnurk.

Ik keek in de spiegel. Mijn haar stond stijf rechtop en mijn oogschaduw en mascara waren uitgelopen waardoor ik net een panda was. Verder moet ik op mijn gezicht in slaap gevallen zijn, want mijn neus was geplet. Maar wat dondert het? Voor mijn part verspreidt mijn neus zich over mijn hele hoofd.

Dan word ik een neus met armen en benen. Een wandelende neus, net als Vati. Niemand vindt me leuk. Ik krijg nooit een vriendje.

keuken

Ik heb de katten naar buiten gelaten, want ze waren te belazerd om door het kattenluikje te gaan. Ze zaten op hun kont voor de deur jankend naar het kattenluik te kijken. Zodra ik de deur opendeed vlogen ze de muur over en recht de vijver van meneer Van Hiernaast in. Dat doen ze nou altijd. Elke ochtend gaan ze in die vijver zitten turen. Ze weten best dat er geen goudvissen in zitten. Dat weten ze omdat zij ze zelf opgegeten hebben. Denken ze soms dat het 's nachts vanuit de kattenhemel goudvisjes regent?

Tsss, ik krijg zin om ze te vertellen dat de kattenhemel helemaal niet bestaat.

mijn slaapkamer
weer in mijn bed van pijn

| 10.00 uur | Ik heb mijn pandamake-up nog op. Ik vind het wel best zo. Ik weet niet of ik me ooit

nog ga wassen. Tekenen van leven beneden. Mam riep naar boven: 'Georgie, we gaan zwemmen. Heb je zin om mee te gaan?'

Ik gaf geeneens antwoord. Een Pandavrouwtje zwemt niet. Ze blijft op haar kamer, net als Miss Havisham uit dat boek van Dickens. Hoe heet het ook alweer? *Blote verwachtingen*, geloof ik. Hoe dan ook, Miss Havisham gaat trouwen, maar haar verloofde komt niet opdagen, dus blijft ze daar jaren en jaren in haar trouwjurk stof zitten verzamelen. Tot ze zichzelf met een kaars per ongeluk in de fik steekt. Een lachebekje, hoor, die Dickens. In de omgekeerde wereld. Hij zou eens met Zeg-maar-Arnold moeten gaan praten.

dertig minuten later

Ze zijn allemaal weg. En ALWEER ben ik helemaal alleen in mijn eentje.

Ik weet hoe het verdergaat. De Club van Azen belt me de hele ochtend plat om te vragen wat er gebeurd is.

twee minuten later

Zou hij gisteravond bij Slome Lindsay zijn geweest? Ik weet nu al hoe ze maandag gaat doen. Superarrogant. Zwiepend met die achterlijke extensions. Gatver. O, ik trek dit niet. Ik loop weg.

een minuut later

Ik kan de trein naar Parijs nemen en op een zolderkamertje gaan wonen.

Als ik al mijn spaargeld opneem kan ik zo vertrekken. *Au revoir tout le monde.*

vijf minuten later

Ik heb helemaal geen spaargeld. Ik was even vergeten dat ik die dodelijke schoenen had gekocht, die door de dokter chirurgisch moesten worden verwijderd.

Ik doe dit niet graag, maar ik ben de wanhoop nabij. Ik moet Libby's spaarvarken plunderen. Over vele jaren zal ze me vergeven omdat ze weet dat haar grote zus er gewoon de kracht niet meer voor had.

twee minuten later

Hoe werkt je geest als je denkt dat je bruine bonen in een spaarvarken moet stoppen?

Misschien denkt ze dat het een echt varkentje is. Dat zit er dik in.

Libby's kamer is net iets uit een horrorfilm. Overal liggen losse poppenarmen en gruwelijke onderbroeken met klonten erin.

| 11.00 uur | Hoorde de bel gaan. Ik doe niet open. Het zal meneer Van Hiernaast wel zijn omdat de katten zijn vrouw in de broeikas hebben opgesloten. Of omdat ze de Pokkenpoedels opgegeten hebben.

Of het is de politie omdat mijn grootvati in zijn surfpak de buren de stuipen op het lijf gejaagd heeft.

Kortom, ik doe niet open.

| 11.05 uur | Bel ging weer. Ga weg.

| 11.07 uur | Bel ging weer. Ik doe niet open.

| 11.10 uur | Telefoon ging. Jezus, wat nou weer?

Het kan natuurlijk een van de Azen zijn. Misschien is het goed om met iemand te praten over de pijn die ik vanbinnen voel. Anders verveel ik me toch maar dood.

'Hallo, Heartbreak Hotel.'

'*Ciao*, Georgia.'

Het was Masimo! Zijn stem klonk zo zalig en hemels en mmmmmmmmmm.

Ik was natuurlijk net Pieppiep de Muis. 'Eh... *ciao*.'

'Georgia, het... hoe zeg je dat... *mi dispiace*... spijt mij dat ik niet gebeld heb, maar gisteravond was het te laat... Ik was... maar nu ben je thuis.'

Ik deed mijn best om vrolijk en nonchalant te klinken. Niet als het Pandavrouwtje.

'Ja hoor, ja ik ben zo thuis als twee thuisdingesjes op... vakantie in... Thuisland. Hahahahaha.'

Lachte ik nu net hardop of alleen in mijn hoofd?

Het bleef even stil en toen zei Masimo: 'Dus, mag ik binnenkomen?'

Ik zei: 'Ja, bel maar aan als je er bent, dan...'

De bel ging.

O gotterdegodje, hij stond voor de deur!!!

Ik zei door de telefoon: 'Maar ik ben, eh... er niet op gekleed.'

Hij lachte. Hij lachte niet door de telefoon, hij lachte door de deur. Ik kon hem door het matglas heen zien staan.

Nu moest ik ook door de deur terugpraten! Maar als ik hem door de deur heen kon zien, kon hij mij misschien ook wel zien. Ik ging achter het telefoontafeltje staan. Ik weet zelf niet waarom. Ik zag mezelf in de gangspiegel. *Gott* in de *Himmel*, ik leek wel een Koch – je weet wel, een van die Kochjes uit mijn Duitse boek. Sterker nog, ik leek wel een Koch die geadopteerd was door wolven.

Zo kon ik niet opendoen. Ik zei: 'Eh... ik ga me even aankleden.'

Hij lachte weer. 'Oké, maar voor mij hoeft het niet.' Lach

78

lach. 'Ik wacht hier buiten op je. O, daar komen je kat-
ten.'
Ik zei: 'Hou ze uit de buurt van je broek.'
Hij zei: 'Eh… *che*?' Maar ik was al naar boven gehold.

hotel hysteria
twee minuten later

Vlug, vlug, trek iets aan. Sexy maar toch ochtendlijk nonchalant. Spijkerbroek? Franjerokje? Spijkerbroek of rokje?
Rokje of spijkerbroek? O NEEE, NIET DAT WEER.
Spijkerbroek en shirt met 'Ik hou niet van mensen die
hun zin niet af…'? Ja, ja, prima, schiet nou maar op.

twee minuten later

Ik had geen tijd voor complete gezichtsverzorging, dus ik
heb alleen het pandagedeelte schoongemaakt en mascara en
lippenstift opgedaan. Mijn hand trilde, dus eyeliner heb ik
maar niet geprobeerd; waarschijnlijk had ik aan het eind Boter, kaas en eieren op mijn gezicht kunnen spelen.
En als klap op de vuurpijl voerde mijn brein een klein
gesprekje met zichzelf. Dat ging zo: 'Masimo klonk best relaxed en vrolijk, vond je niet? Helemaal niet alsof hij iemand ging dumpen.' 'Nee. En hij zei ook dat ene toen ik
zei dat ik me ging aankleden: "Oké, maar voor mij hoeft
het niet." Dat wees best wel op een rood achterste, of niet?'
'Abso.'

twee minuten later

Naar de badkamer gehold. Haar ontploft. O neeeee!!! Ik
heb het met gel zo veel mogelijk plat gekamd. Daarna heb
ik nog een halve tube tandpasta gegeten. Mijn neus zat een
tikje plat, dus rolde ik hem tussen mijn vingers heen en weer
om hem een beetje in model te brengen.

Nu even oefenen op mijn spontane glimlach. Tong achter de tanden en lachen maar. Prima prima.

Manisch lachen er even uitgooien. Hahahahahahahadihahaha!!!

En een snelle Vikingdisco-infernodans om te voorkomen dat ik het straks doe waar hij bij is. Schop schop, stomp stomp en op de knieën... VIKINGZ RULE!!!

Klaar.

Zonnebril?

Goed plan.

Zonnebril op.

En deur open.

En ademhalen.

Daar was hij, bij het tuinhek. Zijn scooter stond op de stoep en hij zat met zijn rug naar mij toe op het zadel naar de poezenbeesten te kijken. Meneer Van Hiernaast was zeker zijn auto aan het wassen, want er stond een emmer zeepsop waar Siempie uit stond te drinken. Zijn bek zat helemaal onder het schuim. Tijger lag zelfs ín de auto, languit op het stuur. O ja, en daar stak Naomi haar kopje boven het zijraampje uit. Meneer Van Hiernaast zou finaal door het lint gaan als hij ze zo zag. Maar ach.

Ik zei niets. Voor een deel omdat ik zo zenuwachtig was, maar ook omdat ik door mijn glimlach eigenlijk geen woorden kon vormen. Masimo voelde waarschijnlijk dat ik er was, want hij keek om. Ik viel bijna flauw. Hij droeg een supercool ijsblauw vest en hij had een zonnebril op. Hij zette de bril af en in het zonlicht waren zijn ogen bijna geel. Ze waren zo mooi, met dikke krullende wimpers waardoor hij eruitziet alsof hij half slaapt. Hij stapte van zijn scooter en kwam langzaam op me af. Hij loopt zelfs Italiaans, een beetje alsof hij danst, maar dan langzaam. Hij is groot en zijn haar is een beetje langer dan de jongens hier het de laatste tijd dragen, en het is donker en krult een beetje. Ik was vergeten hoe gaaf hij eruitzag. Ik kon me niet bewegen want ik had geen controle meer over mijn grove motoriek.

Hij kwam steeds dichterbij. Misschien zou hij met een zwierig gebaar mijn bril afzetten en zeggen: 'Georgia, wat ben je toch mooi!' zoals in van die rottige films. Of misschien zou hij met een zwierig gebaar mijn bril afzetten, mijn geplette neus zien zoals ie was en me de bril gauw weer opzetten. Kop dicht, brein, jij hebt hier niets mee te maken!

Na ongeveer een triljoen jaar stond hij recht voor me. Hij zei nog steeds niets. Hij bukte zich en ik dacht: *Luid de klokken van de Notre-Dame! Hij gaat me zoenen! Alles komt goed!*

Hij zette inderdaad mijn zonnebril af, en gaf me een kus op mijn ene wang en een kus op mijn andere wang. Wat betekende dat? Het leek wel alsof ik gekust werd door mijn lesbische tante!

Hij zei: 'Laten we een ritje maken, *cara*.'

Het lukte me om ja te knikken. Zonder dat mijn hoofd eraf viel.

Het was een prachtige zonnige ochtend en hij gaf me zijn reservehelm. Ik stapte achterop. Hij startte de scooter en ik was te zenuwachtig om hem aan te raken, maar aan de andere kant had ik ook geen trek eraf te kukelen als hij gas gaf. Ik hield me aan de achterkant van het zadel vast, maar hij zei: 'Hou je maar aan mij vast.' Ik legde mijn handen op zijn middel. Heel licht. Maar hij pakte mijn handen en trok ze helemaal om zich heen. Toen gaf hij gas.

Ik was zo blij om weer bij hem te zijn. Hij reed door de winkelstraat, waar het zwart zag van de mensen. Helaas zag ik niemand die ik kende. Ik wilde dat Octo ons zo zou zien. Toen scheurde hij de stad uit. Ik hoopte dat die helm me niet dat beroemde middeleeuwse-ridderkapsel zou bezorgen dat zo populair is onder psychopathische moordenaars. Maar daar zou ik me later wel druk om maken.

We praatten niet. Tenminste, hij zei: 'Alles goed?' en ik knikte zo zelfbewust als ik kon van ja, tot ik besefte dat hij dat niet kon zien, tenzij hij half uil was en zijn hoofd driehonderdzestig graden kon draaien. Dus gilde ik maar: 'Ja, top!'

Jammer genoeg vloog er toen een beest mijn mond in. Een enorm gevaarte, half insect, half vleermuis. Ik stikte er bijna in en probeerde hem uit te spugen.

Godzijdank kon Masimo me niet zien.

Ik zat te hoesten en te kokhalzen en Masimo zei: 'Wat zeg je?'

Kots kots, ik had een insectenkont in mijn mond! Maar dat kon ik moeilijk tegen een LiefdesGod zeggen. Eindelijk kon ik hem uitspugen, en ik schreeuwde: 'Ik zat gewoon te zingen.'

Hij lachte en kneep in mijn hand. Gossie.

vijftien minuten later

Hij stopte aan de rand van het bos en hielp me van de scooter af. Ik hoopte maar dat ik geen insectenpootjes om mijn mond of aan mijn lipgloss had. We lieten de helmen op het zadel liggen en liepen naar het bos. Ik liep achter hem en flufte mijn haar een beetje op. Goeie, het leek wel beton. Mijn knieën klepperden tegen elkaar.

Hij zei niets tot we in het bos waren, en toen ging hij op een omgevallen boom zitten en klopte naast hem op de stam.

O, dit was super en toppie en alles bij elkaar. Hij ging me zoenen. Godzijdank had ik rustig aan gedaan met de lipgloss. Maar wat als we nou niet wisten welke kant we op moesten met ons hoofd en we een hoofdbotsing kregen?

Hij draaide mijn gezicht naar zich toe en keek recht in mijn ogen en slaakte een soort van zucht.

Of wat als ik opeens de Jasziekte kreeg en mijn lippen halverwege in een kramp schoten en ik van tuit ontspan, tuit ontspan moest gaan doen? En tong naar buiten tong naar buiten?

Toen kuste hij me. Het was best een harde kus en ik greep me aan de boomstam vast, want ik had nu geen zin in mijn wereldberoemde sukkel-valt-van-boomstam-act.

O, wat was het fijn om weer met hem te zoenen. Hij legde allebei zijn handen op mijn rug en drukte me tegen zich aan. Waarom hingen mijn armen er zo achterlijk bij? Ik dacht terug aan de zoenlessen van Puistenmans. Wat had hij over armen gezegd? O ja, sla je armen om zijn middel. Ik probeerde het. Mooi. De armen deden wat ik wilde. Goed werk, armen. Ik weet niet hoe lang we zaten te zoenen, want ik had geen horloge om en mijn hersenen waren uit mijn hoofd gelopen. Ik had het zo de rest van mijn leven kunnen doen.

O dank je wel, kindeke Jezus, mijn gebeden waren niet aan dovemansoren gericht. Je had het niet te druk om je met mij bezig te houden, zoals ik eerst dacht. Zodra ik thuis ben red ik je van het travestietendom, dat beloof ik je. En ik maak nieuwe sandalen voor je. En een baard.

Na een hele tijd liet Masimo me los. Hij gaf me een kusje op mijn mond zodat ik de tijd had om bij te komen. Zijn hand lag tegen mijn wang en hij keek me recht aan. Mijn brein gaf er letterlijk de brui aan. Hij lachte zijn lieve, langzame lachje. O, ik hou van hem, ik hou van hem. Hij kuste me nog een keer zacht op mijn mond en streelde mijn haar. (Wat vast zalig voelde met twintig kilo gel erin.)

Toen schraapte hij zijn keel en zei: 'Ah, de mooie Georgia, ik heb je gemist. Ik vind je… hoe zeg je dat… "maf". De Stiff Dylans zeggen ook allemaal: "Ja, die is maf, die griet." Maar ze mogen je graag. En ik mag je ook heel graag. Dom vertelde dat je zijn vader probeerde te zoenen en boven op zijn drumstel viel.'

Moest ik dat mijn hele leven blijven aanhoren?

Trouwens, toen was ik nog met Robbie, de jongen wiens naam ik in dit leven niet meer zal noemen. Maar goed, genoeg over hem, van wie ik de naam alweer vergeten ben; dit ging intussen he-le-maal de goeie kant op. Ik kreeg zin om 'Zo leer ik het lied dat de panty's zingen' in te zetten, maar ik deed het niet.

Toen kneep Masimo in mijn schouder en stond op. Hij draaide zich naar me toe en zei: 'Je vroeg me... je zei dat je... hoe zeg je dat... mijn enige echte ware wilde zijn? Dat is zo?'

Reken maar van yes, PopSterRockGodSeksMachine van me, dat is zo. Maar hij was nog niet uitgepraat...

TERUG IN DE BAKKERIJ VAN PIJN

mijn slaapkamer

| 16.00 uur |

Ik lig niet meer op de pijnbank van de liefde. Ik ben van de pijnbank afgestapt, in de oven van de liefde geweest en even een taart wezen kopen in de taartwinkel van doffe ellende. Nu sta ik op mijn kop in de vuilnisbak van wanhoop. Met half opgegeten taart in alle gaten en kieren.

Masimo zei dat hij me niet als vriendin wil. Hij wil helemaal geen vriendin. Hij zei dat hij er nog niet aan toe is om een relatie te hebben. Hij wil wel met me blijven omgaan, maar dan zoals altijd. Gewoon voor de 'lol'.

Lol.

Hij zei dat hij me 'een leuke meid' vond.

Maar kennelijk niet leuk genoeg.

Toen hij het me verteld had wilde ik daar meteen weg. Hij sloeg zijn arm om me heen en zei: 'Blijven we alsjeblieft met elkaar omgaan? Mag ik je bellen?'

Ik kon net genoeg waardigheid bij elkaar rapen om te zeggen: 'Nee, liever niet.'

En hij zei: 'Ik vind het heel jammer.'

Daarna zei ik om een of andere reden heel opgewekt dat ik even bij vrienden langsging die aan de andere kant van het bos woonden. En ik liep weg, zonder hem.

Een paar minuten later hoorde ik zijn scooter wegscheuren. En was ik alleen in het bos.

En ik had helemaal geen vrienden die in het bos woonden.

En ik deed er twee uur over om naar huis te lopen. Ik

was zo van de kaart nadat hij gezegd had dat hij mijn enige echte ware niet wilde zijn dat ik het niet eens merkte
van die twee uur.

Thuis had ik een hele lading berichten van de Club van
Azen. Zoals:

'Bel.'

'Bel als de sodemieter.'

En een van Sven: 'Hé, wijffie!!!'

Maar ik kon het niet opbrengen om terug te bellen.

| 17.00 uur | Mama bracht me een kopje thee. Ik pro-
beerde me achter een boek te verstoppen
toen ze binnenkwam, maar mijn tranen drupten op de blad-
zijden. En dat kwam niet doordat het *Assepoester* was.

Mam zei: 'Maak je niet druk, aan het eind komt de prins
langs, en de schoen...'

Maar toen besefte ze dat ik echt overstuur was, en ze
kwam naar me toe en nam me in haar armen. Dat maakte
me als een gek aan het grienen. Ik vertelde haar alles. Ik zei:
'Hij, ik (snotter, snik), eindelijk kwam hij en hij zei... eerst
dacht ik dat hij niet zou komen, maar hij... en toen ging
ik... naar het bos... zoenen maar ik viel niet van de boom...
toen zei hij nee en ik ging op bezoek bij mijn bosvriend-
jes... die ik niet heb.'

Mam zei dat ik me wel weer beter zou gaan voelen.

Ik zei: 'Nee, helemaal niet.'

En zij zei: 'Jawel hoor.'

En ik zei: 'Wanneer dan? Over veertig jaar, als ik dood
ben? Wanneer ga ik me weer beter voelen? Vandaag?

Ze zei: 'Nou nee, vandaag niet.'

'Deze week?'

'Nou, dat misschien nog niet.'

'Volgende week dan?'

Aan het eind zei ze dat ik me 'op een dag' beter zou gaan
voelen.

Niet echt iets om naar uit te kijken, hè?

Ze vroeg of ik patat met een bekkerlekje wilde, maar ik kan nu niet eten. Mijn maag voelt aan alsof twaalf gasten met een extreem kort lontje ertegenaan hebben staan stompen. En toen kwamen hun matties er voor de gein nog een tijdje op springen.

| 18.30 uur | Libby kwam me haar clownsschoenen laten zien. Oom Eddie koopt steeds dingen voor haar bij de feestwinkel. Normaal had ik er wel om kunnen lachen, vooral omdat ze ook zo'n brilletje heeft met van die ogen op veren die er steeds uitspringen. Ik zei: 'Vandaag niet, Libbs. Ik heb hoofdpijn. Je moet stil zijn.'

Gek genoeg zei ze 'ssssst' en ging ze op haar tenen op die enorme schoenen de kamer uit. Ze sloop de gang op, zei nog een keer 'sssssst' en deed heel zachtjes de deur dicht.

Toen gilde ze: 'Mammmmmiiiieeeee!!!'

Mam gilde terug: 'Wat is er, Libbsy?'

'Die rooie heeft hoofdpijn. HOU VERDOMME JE KOP!'

Waar haalt ze die grove taal toch altijd vandaan?

vijftien minuten later

Ik kleedde me aan en liep de avond in. Niemand zou me missen.

| 20.30 uur | Ik zit in de boom in de voortuin. Als een gedumpte uil. Mijn ogen zijn dik, maar ik kan de keuken van meneer en mevrouw Van Hiernaast in kijken. Ik wou dat het niet zo was. Mevrouw Van Hiernaast heeft een flanellen roze bloemetjesnachtpon aan. Heel aantrekkelijk. Maar ach, je kunt het haar niet kwalijk nemen. Ze is getrouwd met de saaiste, dikste vent van het universum (nee, niet mijn Vati, want dat zou bigamie zijn). De Pokkenpoedels zitten op de keukentafel melk van schotel-

87

tjes te likken. Getver. EN ze hebben allebei een klein py-jamaatje aan. Ongelogen.

Nu sloft meneer Van Hiernaast ook de keuken in, om de nachtmerrie helemaal compleet te maken. Hij heeft een bad-jas aan en je kunt zijn mega magere beentjes eronder zien. Ze hebben duidelijk moeite om zijn enorme kont omhoog te houden. Het zijn extreem witte beentjes.

Eigenlijk meer taugésliertjes dan benen.

Jasses met een rietje, ik viel bijna uit mijn boom! Meneer Van Hiernaast heeft GEEN pyjama aan! Onder zijn badjas loopt hij in zijn nakende niksie! Ik heb zijn naaktheid recht in de ogen gekeken!! Toen hij een van de Pokkenpoedels van tafel tilde viel zijn badjas open. Ik heb per ongeluk een pornofilm gezien.

Ik ging gauw met mijn rug naar de Van Hiernaasten zitten.

Naomi wrijft hard mauwend met haar achterste over het tuinmuurtje van de Van de Overkanten. Het maakt geen erg romantische indruk, als zodanig, maar alleen zo kan ze Tijger duidelijk maken dat ze van hem houdt.

twee minuten later

Oké, het mauwen en kontwrijven heeft effect, want daar komt onze ranzige Romeo de hoek al om. Hij snuift Na-omi's geur op. Letterlijk. En zij speelt ook niet bepaald de koele kikker. Tenzij je een koele kikker bent als je met je kont in iemands gezicht op je rug ligt.

Maar dat is de harde werkelijkheid van het leven.

tien minuten later

Wat zou Masimo nu aan het doen zijn? Lol maken en van zijn vrijheid genieten? Hij denkt vast niet aan mij. Hij zegt natuurlijk tegen alle meiden dat hij ze leuk vindt. Ik ben benieuwd of hij wel vaker meisjes meeneemt naar dat bos.

Het enige wat ik kan bedenken dat erger zou zijn dan wat ik nu kan bedenken is dat hij iets met Slome Lindsay zou beginnen. Ik denk dat ze alles zou doen wat hij zei, zoals: 'Trek je een zak over je hoofd als we ergens heen gaan?' Wat ik eerlijk gezegd niet zo'n heel onredelijk verzoek zou vinden.

vijf minuten later

Ik werd een beetje koud en stram daar in die boom, dus besloot ik maar weer terug te gaan naar mijn bed van pijn. Gewoon om weer eens ergens anders ongelukkig te gaan zitten wezen. Maar toen hoorde ik stemmen, en Mark Grote Bakkes liep langs met zijn vrienden, ook wel de Johnny's genoemd, en ze gingen op ons muurtje onder de boom zitten. Ze gingen heel sneu zitten roken. Je weet wel, op die achterlijke manier waarop die achterlijke gasten altijd roken: ze nemen een enorme trek en dan stikken ze er bijna in. Maar onder het stikken praten ze wel gewoon door. En van die onzin ook.

Vanuit de rookwolken en boven al het gehoest uit hoorde ik Mark Grote Bakkes zeggen: 'Ja man, Charlotte met die grote memmen zat de hele tijd aan d'r haar, dus volgens mij heb ik beet.'

Een van de andere superhengsten zei, al hoestend en krabbend aan zijn puisten: 'Misschien kunnen we dubbelen met haar vriendin met dat schele oog.'

Zijn ze wel helemaal lekker?

Toen kwam Knots Junior eraan – Oscar. Fantastisch nieuws voor zijn ouders dat hij tegenwoordig met de grootste ordi's van de buurt omgaat.

Mark Grote Bakkes zei tegen hem: 'Wil je een peuk, man?'

O, dit wordt lachen. Ik wil Oscar wel eens zien stikken. Maar hij zei: 'Neu, bedankt man, ik maak er net een uit.'

Ja hoor, in je dromen, klein Johnny'tje. Sukkel.

Jemig, ik dacht dat Jas saai was om naar te luisteren, maar die is dus echt een sprankelende persoonlijkheid op pootjes vergeleken bij dit zootje. Ik zal er nooit meer wat van zeggen als ze het weer eens over woelmuizen heeft.

De jongens hielden even op met aftippen in onze tuin om een gesprek te beginnen over een 'potje matten' dat kennelijk op het programma stond. Niets maakt zoveel indruk op de chickies dan wat ouderwets recreatief geweld.

Toen gaven ze elkaar zo'n boks met hun vuist. Waarom doen ze dat eigenlijk?

Na een hele tijd gingen ze eindelijk weg en kon ik de boom uit.

Als jongens allemaal zo zijn, is het misschien helemaal niet zo erg om een ouwe vrijster te worden.

21.30 uur   Binnen was het vreemd stil. Ik deed de deur van de woonkamer open en zag iets heel verschrikkelijks. Je leest toch wel eens over mensen die thuiskomen, en dat er dan een kat over de muren uitgesmeerd is en een kerel met een bijl in zijn handen in zijn ondergoed voor zich uit zit te neuriën?

Nou, dit was nog erger.

Mutti en Vati waren samen in de kamer.

Alleen.

Op de bank.

Vlak bij elkaar.

En Mutti aaide Vati over zijn baard!!!!

zondag 26 juni

09.00 uur   Ik heb een briefje geschreven voor mama:

Lieve mam,

Ben naar de kerk. Ik ben nog steeds heel erg overstuur

en wil er met niemand over praten. Als er iemand voor
me belt, wil je dan zeggen dat ik naar opa ben? Ik ben
terug voor het eten, maar ik krijg toch geen hap door
mijn keel.
Liefs, Georgia
P.S. Niets tegen papa zeggen.
P.S.2 Als je die cannelloni van de supermarkt hebt lukt
het misschien wel, want daar hoef je niet zo op te kauwen.

onderweg naar de kerk

| 09.45 uur |

God kan niet beweren dat ik mijn best niet
doe. Ik heb zijn eniggeboren zoon Jezus uit
Libby's speelgoedkist gevist en hem zijn barbiejurk uitge-
trokken. De blusher kreeg ik er niet helemaal af, maar ik
heb wel van plakgum een nieuwe voet gemaakt. Hij staat
op mijn toilettafel, waar zelfs Libby er niet bij kan. En de
poezenbeesten zouden steigers en een katrol moeten bouwen om hem naar beneden te krijgen. Niet dat ik denk dat
ze er niet toe in staat zijn. Soms, als ze achter de bank zogenaamd zitten te spinnen, denk ik wel eens dat ze aan het
boren zijn.

De laatste keer dat ik in het huis van God was kon Zeg-
maar-Arnold mijn bloed wel drinken. Wat wel een beetje
onchristelijk is. Er was tenslotte niemand gewond geraakt
bij het incident met het brandende hoofddoekje van de oude bejaarde. Bovendien was het haar eigen schuld. En ze
gaf me met haar handtas een dreun tegen mijn schouder,
waar ik niet eens iets van gezegd heb.

Maar aangezien ik ervan beschuldigd zou kunnen worden dat ik alleen maar met God praat wanneer ik iets van
hem nodig heb, kan ik nu maar beter even oefenen met ne-
derig zijn. Onder het lopen bad ik in stilte: 'God, u bent zo
groot. En omnipotent; niet impotent zoals ik vroeger per
ongeluk zei. Ik wil alleen maar zeggen dat we hier bene-

91

den allemaal vreselijk onder de indruk zijn van uw vele won-
derwerken. Vooral dat met die wijn die verandert in... o
nee, ik bedoel dat water dat verandert in wijn, en die wandeling over het water. Dat was het kindeke Jezus, ik weet
het, maar diep van binnen bent u het die achter al die dingen zit. Dat weet ik best. U steekt alleen uw eigen lof-
trompet niet omhoog. Niet dat ik denk dat u dat niet zou
kunnen als u wilde. Ik wil wedden dat u alles omhoog krijgt.
Vergeef me mijn zonden en ook mijn verschrikkelijke geslijm, maar u bent ook zo'n kanjer.'

weer thuis, op mijn kamer

| 12.30 uur | Wat een tijdverspilling zeg.
En raar ook.

De organiste (die er niet bepaald als een normale vrouw
uitzag, tenzij je een lengte van één meter tachtig, een twin-
set en een baard van vier dagen normaal vindt voor een
vrouw) speelde een potpourri van musicalliedjes. Ik geloof
niet dat al die oude bejaarden het in de gaten hadden, maar
persoonlijk ga ik niet naar de kerk om naar 'Mama Mia' te
luisteren.

En we moesten meezingen met het refrein. En een dansje doen.

Zeg-maar-Arnold gaf zijn preek op een zitzak voor onze
voeten. Volgens mij ging het over ijsjes.

Wie zal het zeggen?

Wie boeit het?

Ik luisterde niet.

avond

Maar misschien heeft het feit dat ik de moeite nam om naar
hem toe te komen God er op een of andere ondoorgron-
delijke manier van overtuigd dat ik toch niet zo'n slecht
mens ben, want ik ben wel een soort van opgefleurd. Nou

ja, niet echt opgefleurd, ik ben nog steeds depri, maar ik heb besloten de boel zoveel mogelijk van de positieve kant te bekijken. Masimo heeft niet gezegd dat hij me niet leuk vindt. Hij zei zelfs dat hij me wél leuk vond. Hij wil alleen geen vaste vriendin. Daar kan ik niets aan doen, zo is het nu eenmaal. Dave vindt me ook leuk en ik heb goede vriendinnen en ik ben geen hongerend kind in Afrika. (Ik denk zelfs dat ik een beetje te veel cannelloni heb gegeten.)

Ik raap mezelf dus stevig bij elkaar.

BORST VOORUIT

maandag 27 juni

Borst vooruit. Dat is mijn motto voor vandaag.

$\boxed{\text{08.30 uur}}$ Over vooruitstekende noenga's gesproken, toen ik haar straat in liep kwam Jas al op me af. Met opgestoken zeilen.

Ze ging van: 'Nou? Nou???'

Ik zei: 'Wat nou?'

'Hallo! Wat is er met Masimo gebeurd? Wat zei hij? Ik heb je honderd miljoen keer gebeld!'

'Weet ik.'

'De hele club heeft je gebeld.'

'Ik wil er nu niet over praten, het is een beetje persoonlijk.'

'Dus hij heeft je gedumpt? Alhoewel, officieel kon hij je helemaal niet dumpen, want je ging officieel helemaal niet met hem. Technisch gezien ben je dus geen gedumpt persoon. Dat scheelt weer, qua trots.'

Watte?

dagopening

De hele club van Azen keek naar me, maar ik bleef er onbewogen onder. Misschien een beetje te onbewogen, want Roro fluisterde: 'Wat is er met je? Waarom sta je zo? Moest je kakken en haalde je de plee niet?'

Geen spoor van Slome Lindsay, dus ik heb nog niet hoeven doen alsof ik vrolijk ben.

Ik heb de Azen verteld wat er gebeurd is. Iedereen was heel aardig voor me. Ze zeiden wijze dingen en gaven me goede raad. Rosie zei: 'Eet maar zo veel van mijn kaasdingesjes als je wilt.' En ze maakte mijn chipszakje voor me open enzovoort.

Kortom, iedereen had het beste met me voor.

Behalve Elvis, die kwam mekkeren dat we onze zakjes enzo in de prullenbak moesten gooien. Ik zei tegen hem: 'Moet u zich eens voorstellen, meneer Attwood, als u straks naar de conciërgehemel gaat mag u lekker de hele dag rotzooi opruimen. U zou van afval een schuurtje kunnen bouwen. En kleren breien van...'

Klagend en mopperend liep hij weg.

Zoals ik al zei tegen Juul: 'Zelfs in mijn diepste ellende verspreid ik nog vrolijkheid in het leven van anderen.'

bio

Is het echt nodig dat ik mezelf helemaal naar school sleep, alleen om te leren dat we zo'n vierhonderd verschillende bacteriesoorten in onze maag hebben?

En dat scheten uit vijf verschillende gassen bestaan?

Dat is handig om te weten als iemand een ruft laat waaien. Kunnen we allemaal diep snuiven en zeggen: 'Ja, ja, ik ruik toch duidelijk zwavel, met een klein vleugje bruine boon.'

gym
zwembad

Als je leven compleet shit is, bedenk dan dat er altijd wel iemand is die het nog slechter heeft dan jij. En met die iemand bedoel ik natuurlijk Misselijke P. Green. Ik wil niet gemeen zijn, maar ik overdrijf niet als ik zeg dat ze niet moeders mooiste is. En ze doet ook niets om de zaak te verbeteren. In het zwembad had ze vandaag een of ander badpakding aan dat, hoe zal ik het zeggen, niet helemaal normaal was. Er zat een soortement rokje aan en allemaal frutsels en fratsels. Onder ironisch applaus sprong ze in het diepe, en het royale rokjesgeval vulde zich met water en ze zonk spoorloos.

Er werd op fluitjes geblazen, iemand zette het brandalarm aan, en in alle paniek kreeg Elvis een klap van een losgeslagen zwemband. Vraag me niet hoe. Ach, vraag het me ook maar wel. In de opwinding van de reddingsoperatie liet Rosie zich een beetje meeslepen en begon vol overgave en *je ne sais quoi* met zwembanden te gooien. Elvis was op het verkeerde moment op de verkeerde plaats. Wat eigenlijk altijd zo is.

Waarom was hij trouwens de badmeester? Hij zal zich wel vrijwillig gemeld hebben en Smal was natuurlijk te stom om zijn perverse bedoelingen te doorzien. Net goed dat hij een klap in zijn gezicht kreeg met zo'n rubberband. Het was maar een schampslag tegen zijn gok, maar wat máákte hij een drukte. En mag een conciërge/gluurder eigenlijk 'klote' zeggen waar gevoelige minderjarigen bij zijn?

Toen gebeurde het griezeligste wat je maar kunt bedenken. Toen de stagiaire Misselijke P. Green had opgevist en haar naar de kant sleepte rukte mevrouw Stamp haar charmante trainingsbroek van haar gat, dook in het water en gilde: 'Ademhalen, Pamela!'

We zaten met z'n allen op de kant te kijken hoe ze Misselijke P. Green eruit probeerden te hijsen. Ik zei vol medeleven: 'Er zijn meer dan vier man voor nodig om haar het zwembad uit te krijgen; alleen dat badpak weegt al vier ton.'

Rosie zei: 'Waarom heeft mevrouw Stamp een mohairen maillot aan?'

Ze had geen mohairen maillot aan. De mohairen maillot WAREN haar benen. Ik had het orang-oetan-gen nog nooit zo welig zien tieren. Als er eersteklassers in het zwembad geweest waren hadden ze het doodsbang op een lopen gezet. 'Ren voor je leven,' hadden ze geroepen, 'het is een manwijf, er komt een manwijf aan!'

| 15.00 uur | Nog steeds geen spoor van Slome Lindsay. Ik ben blij en bezorgd tegelijk.

Waar hangt ze uit?

Misschien is ze op dit moment wel aan het oorlebberen met de LiefdesGod. Hoewel ik mijn borst zo ver vooruit steek als menselijkerwijs mogelijk is voel ik toch een klein huilbuitje opkomen.

| 16.10 uur | Op weg naar slagbal kwam ik langs het hok met gymspullen, met daarin die twee kleine piepers uit de eerste die door Slome Lindsay zo waren uitgefoeterd. Ze stonden hockeysticks op te ruimen. Verbazingwekkend Saaie Monica legde uit hoe het moest. Sneu genoeg kan het haar geloof ik echt iets schelen hoe de hockeysticks opgeborgen worden. In een perfecte wereld zou ze met Elvis getrouwd zijn. (Niet die met die swingende heupen, die met die kunstheupen.)

Terwijl de kleintjes aan het sjouwen waren zei ik mega achteloos tegen VSM: 'Helemaal alleen, Monica? Lindsay heeft een beetje builenpest, hoop ik?'

VSM zei: 'Niet dat het jou wat aangaat, maar Lindsay moest vandaag naar een vergadering, dus ik neem haar taken over. Vind je dat goed?'

'Prima, Monica. Je bent vast net zo goed in het commanderen van eersteklassers als ieder ander.'

thuis

Ik heb het al eerder gezegd en ik zeg het nog maar een keertje: tegen dingen aan meppen kalmeert de zenuwen. Onder slagbal knapte ik er echt van op om die bal een loei te

97

geven en al die verrevelders erachteraan te zien hollen als een stel maffe konijnen met een broekje aan. Weer zorgde Misselijke P. Green voor de vrolijkste noot. Op het onderdeel amusement levert ze vandaag echt een topprestatie. Misschien maak ik straks even een soort bokaal voor haar. Toen ze aan slag was mepte ze enthousiast naar de bal, miste, verloor haar evenwicht, viel achterover, duwde Katie Steadman, de achtervanger, omver, en die dreunde weer tegen mevrouw Stamp aan. Het leek wel olifantenkegelen (met een olifant als bal).

18.30 uur | De mafkezen zijn voor één keer voltallig aanwezig.

Papa zei: 'Hier zal je van opvrolijken, Georgia.'

Ik keek naar mam, mam keek heel vuil naar hem en hij zei: 'Niet... dat er iets is waardoor je niet... eh...vrolijk zou zijn. Maar... goed nieuws! Maisie is weer aan het breien geweest! Volgens mij ligt er op je kamer iets moois en attents op je te wachten. Wat mij betreft, ik weet niet hoe ik me al die tijd zonder dit heb gered.' En hij stak zijn voeten omhoog. Tenminste, het hadden zijn voeten moeten zijn, maar het was eigenlijk één grote sok waar zijn voeten in zaten. Een gigantische voetenwarmende sok in subtiele tinten paars en geel.

Mam kwam er genadig vanaf met een gebreide poederdooshouder – dat dacht ik tenminste, tot ze me haar gehaakte vest liet zien. Ze zei: 'Ik vind het best... eh... misschien trek ik het straks wel aan.'

Ik zei: 'Alsjeblieft niet.'

Ze liep lachend naar de keuken. Waarom zijn ze allemaal zo opgewekt? Ze zullen wel weer dronken zijn. Of het is vroege Alzheimer. Lekker. Ben ik eindelijk oud genoeg om in een coole yuppenwijk op mezelf te gaan wonen, worden Mutti en Vati om de haverklap door de politie thuis afgeleverd omdat ze zaten te picknicken op een verkeerseiland. Dan moet al hun eten natuurlijk gepureerd worden ook. Neeeeeeeeee. Kop dicht, brein.

Trouwens, tegen die tijd kunnen ze me gestolen worden want dan heb ik mijn leven aan de Heer gegeven en zit ik in een lesbisch klooster met mijn ballen… eh, ik bedoel kralen te spelen.

mijn slaapkamer
tien minuten later

Heel fijn. Precies wat ik altijd graag wilde hebben. En ook heel geschikt voor een lange hete zomer. Hoe kwam opa's vriendinnetje aan de maten van mijn hoofd toen ze die bivakmuts voor me ging breien?

vijf minuten later

Niet, is het antwoord.

Trouwens, horen er geen gaten in een bivakmuts te zitten, zodat je naar buiten kan kijken? Anders heeft ze eerlijk gezegd geen bivakmuts gebreid, maar een hoofdkous. Maar laat niemand zeggen dat ik niet van het leven weet te genieten.

een minuut later

Ik liep op de tast naar beneden met mijn hoofdkous op om mijn ouders mijn leuke cadeautje te laten zien. Mam zei: 'Het gaat om het idee.'

En ik zei: 'Weet ik, daarom ga ik nu onmiddellijk de instanties bellen. Iemand met zulke ideeën hoort voor zijn eigen veiligheid opgesloten te worden.'

Toen ik mijn zogenaamde bivakmuts afdeed zag ik dat mam haar gehaakte vestje aanhad. Met alleen haar beha eronder. De gaten in het haakwerk waren zo groot dat haar ene noenga er in zijn geheel uit stak. Zo groot waren die gaten.

Pap zei: 'Wauw Connie, lekkere seksbom,' en hij hopte op zijn ene 'voet' naar mam toe en wierp zich boven op haar.

Wat een walgelijke vertoning.

In de gang zat Libby met haar nieuwe gebreide oorwarmers op. Ze zaten voor haar ogen en ze zei: 'Lekker warrum, hoor.'

De bel ging.

Mam zei: 'Georgie, doe jij even open? Papa denkt dat hij weer door zijn rug is gegaan.'

Typico.

Ik deed open.

Het was oom Eddie.

O, er komt maar geen einde aan de pret. Zijn kale kop glom in het maanlicht en hij was van top tot teen in kunstleer gekleed – een prachtige outfit voor een gekookt ei. Hij woelde door mijn haar en zei: 'Nooit iets eten wat groter is dan je hoofd.' En hij rende de kamer in naar de andere gekken.

in de keuken

Mutti kwam net binnen om *vino tinto* te halen voor de andere bejaarde mafkezen. Ze heeft nog steeds dat gehaakte vest aan. Ik schudde afkeurend mijn hoofd en ze gaf me een zoen op mijn wang.

Huh?

een minuut later

Wonder der wonderen, er is iets te eten! Makkie met kaas. Jam jam jam. Van gekte krijg je honger.

Ik zat het net naar binnen te tennissen toen de 'muziek' aanging. Ze zitten met z'n drieën te geiten en te kakelen in de huiskamer. Ik ken deze stemming, straks komt... ja hoor, ik had gelijk, '*Dancing Queen*' van Abba.

Waarom zijn ze zo vrolijk? Geef ze een felgekleurd plastic tasje en ze gaan uit hun dak van geluk. Ik vraag me af of ik geadopteerd ben. Ik ben zo anders dan zij. Vati riep: 'Georgia, iets lekkers!'

Natuurlijk ben ik niet geadopteerd. Vati is veel te lui voor de papierwinkel.

Ik wilde net naar mijn kamer gaan toen Vati zei: 'Georgie, als je iets lekkers komt brengen krijg je misschien wel een paar pegels van me.'

drie minuten later

Toen ik met de chips de kamer weer in kwam verbaasde ik me niet over de gruwelijke aanblik van mama die met haar hoerige haakwerkje aan op papa's schoot zat – pal voor de neus van oom Eddie. Oom Eddie zette zijn wijnglas op zijn buik en zei: 'Ik zat in dat Indiase restaurant en de serveerster kwam vragen hoe de curry smaakte. Ik zat argeloos te eten en ze legde haar voorgevel bijna op mijn schouder.'

Ik zei: 'Gatver, je zei "voorgevel", dat dóé je toch niet!'

Oom Eddie zei: 'Ik zei alleen maar "voorgevel" uit respect voor je moeder. Normaal zeg ik "tieten".'

Ik ging naar mijn kamer. Ik ben een beetje misselijk.

mijn slaapkamer

| 20.30 uur | Wie organiseert er nou doordeweeks een spontaan verkleedpartijtje om te vieren dat papa en zijn voetballende maatjes hun laatste wedstrijd met maar tien punten verschil verloren hebben?

Mijn ouders dus.

Vati kwam als een rood aangelopen gek in een zwarte maillot en met een hondenriem om zijn nek mijn kamer in stormen. Zo lijkt hij helaas precies op Zeg-maar-Arnold. Hij werd op de voet gevolgd door Eddie, ook in een zwarte maillot en een T-shirt. Hij heeft met oogpotlood een randje haar op zijn kale kop getekend en ziet eruit als een doorgedraaide monnik. Godallemachtig.

Oom Eddie zei: 'Ik weet een mop waar je van opvrolijkt, Georgie.'

Ik zei: 'Vader, oom Eddie, als jullie nu voor altijd zouden willen vertrekken en ergens anders gek gaan zitten wezen, dan zou dat heel fijn zijn. Alvast bedankt.'

Maar de mafkees ging gewoon verder. 'Goed, een vent belt dus aan bij een huis en hij heeft een grote doos bij zich. Zegt-ie... zegt-ie...'

Hij stikte bijna van het lachen. Ik dacht dat ik misschien even de Heimlich-greep moest toepassen, waar ik eigenlijk best voor in de stemming ben. Iemand van achteren beetpakken en flink door elkaar schudden kon wel eens heel goed zijn tegen agressiviteitsneigingen.

Helaas kwam hij weer een beetje bij. Hij vertelde verder: 'Goed, zegt-ie tegen die vrouw die de deur opendoet: "Bent u de weduwe Jones?" Zegt zij: "Ik heet wel Jones, maar ik ben geen weduwe." Hij weer: "O, maar dan weet u niet wat ik in deze doos heb."'

En toen moest hij met die extreem strakke maillot aan gaan zitten van het lachen. Hij komt nooit meer overeind. Dat staat wel vast.

| 22.30 uur | De hoer en de geestelijken zijn in de tuin. Ze hebben de boxen buiten gezet, zodat de hele wereld kan meegenieten van die Franse viespeuken met hun *'Je t'aime paraplu'*.

vijf minuten later

Pap komt aan met een taart met een gigavuurpijl in het midden.

Pap houdt een of ander lullig praatje dat ik gelukkig niet kan verstaan, maar ik zie zijn onderkinnen trillen, dus hij denkt vast dat hij leuk is.

een minuut later

Nu bukt hij zich om de vuurpijl aan te steken.

een minuut later

Te gek!!! Pap heeft zijn eigen baard in de hens gestoken. Vuurzee!
Nu kan ik rustig gaan slapen, denk ik. Het leven heeft inderdaad ook een vrolijke kant.

dinsdag 28 juni

in de keuken

Aan het ontbijt viel me op dat papa glad geschoren was. Ik zei tegen hem: 'Vati, wat is er gebeurd met dat bevertje dat vroeger op je kin woonde?'
Hij gaf niet eens antwoord, bromde nog een tijdje voor zich uit en ging toen naar zijn 'werk'.

11.00 uur Op weg naar Engels maakte ik een tussenstop op de plee omdat ik onverwacht een plasje moest plegen. Toen ik er weer uit kwam zag ik Lindsay. Octo is terug. Komen we dan nooit van dat mens af?
Ze liep op haar spillenpootjes met haar sneue extensions te zwiepen. Ik deed alsof ik haar niet zag, maar zij had iets op haar lever: 'Georgia Nicolson, kijk eens aan, en nog wel zonder die domme vriendinnetjes van je. Ik ben blij dat je naar mijn advies over Masimo geluisterd hebt. Ik zou graag

zeggen dat we je gemist hebben gisteravond, maar dat was nu eenmaal niet zo. Trouwens, we bleven ook veel te laat op voor jou. Het is wel half tien geworden.'

Ze weet het, ze weet het. Masimo moet haar verteld hebben wat er gebeurd is. O, wat is dit erg!!!! Ik geloof niet dat ik dit trek.

Engels
in de gymzaal

Ik kan alleen maar denken dat Lindsay weet wat er gebeurd is. Mevrouw Wilson wil dat we 'in de stemming' komen voor *MacWaardeloos*, dus houden we maar weer eens zo'n ramp van een workshop in de gymzaal.

Mevrouw Wilson stond in haar zielige overgooier – ja, overgooier – voor ons en zei: 'O, wat is dit spannend! Nog maar een paar dagen en dan is het zover. Kom op! Dan laten we de energie alvast goed stromen. Voel die energie, meiden!'

Terwijl zij dat zei gingen wij allemaal op de turnmatten liggen. Of, in Rosies geval, op z'n kop aan het wandrek hangen, als een vleermuis met een zwarte kanten onderbroek aan. Straks staat meneer Attwood met zijn roodgloeiende gluurdersantenne natuurlijk weer voor onze neus.

Mevrouw Wilson probeerde onze aandacht te trekken door in haar handen te klappen. Succes ermee. Ze zei: 'Meisjes, mag ik... willen jullie even naar me... eh, Rosie, wil je alsjeblieft van dat wandrek komen, en de meisjes onder het paard, komen jullie daar nu even onder vandaan? We gaan ons in deze intensieve workshop fysiek inleven in onze rol.'

Ik zei tegen Julia: 'God bewaar ons, we hoeven toch niet weer groente te spelen, hè? Ik ben niet in de stemming voor de uiendans of wat dan ook.'

Uiteindelijk kwamen we allemaal overeind en mevrouw Wilson riep iets en dat moesten we dan doen. Ze zei: 'Macbeth wordt gekweld door zijn eigen daden. Hoe voelt dat? Hoe ziet dat eruit? Nee, Rosie, ik denk niet dat Macbeth zich... eh... zou ophangen met een springtouw. Wil je dat even wegleggen? Goed, stel je eerst eens de vermoeide tred voor van iemand die heel somber is.'

Fantastisch. Bedankt, God. Maar niet heus.

tien minuten later

Hoewel ik me de vermoeide tred van iemand die heel somber is helemaal niet hoefde voor te stellen – ik BEN namelijk iemand die heel somber is – stemden de komische mogelijkheden van deze les me toch wel vrolijk. De Azen gaven als de Klokkenluiders van de Notre-Dame een knap staaltje groepshinken weg.

Mevrouw Wilson zei: 'Heel goed, meisjes, maar de persoon is eigenlijk niet mank, alleen heel somber. En iemand die somber is loopt eigenlijk niet altijd zo te kwijlen. Laat je fantasie de vrije loop. Als ik in mijn handen klap neemt de volgende vlug zijn rol aan – en (klap) – je bent een vrolijk slank meisje dat op weg is naar haar vriendje – en spelen maar!'

O, wat is het leven toch wreed. Als God echt omnidinges is zit hij zich nu vast slap te lachen. Om mij. Eerst een somber iemand, nu een jong meisje op weg naar haar vriendje. God deed wel alsof hij het niet erg vond dat ik Onze Lieve Heer niet eerder uit Libby's speelgoedkist had gehaald, maar dit is zijn wraak. Misselijke P. Green huppelde als een dwaas door de gymzaal. Als ik het vriendje was waar ze naartoe huppelde zou ik op een holletje naar het asielzoekerscentrum voor vriendjes vertrekken.

Rosie deed haar beroemde imitatie van een orang-oetan. Het is eerlijk gezegd uit het leven gegrepen; zo loopt ze ook als ze naar Sven toe gaat.

Jas kon zich helemaal uitleven met haar pony, en toen ze dacht dat ik niet keek tuitte en ontspande ze haar lippen.

En haar tong kwam geloof ik ook even naar buiten. Ze wordt nog steeds achtervolgd door het lipkrampfiasco. Ach gut, wat erg, laat maar waaien.

Ellen zat gierend van de zenuwen op een bankje. De bel ging voor ze ook maar één stap in de richting van haar ingebeelde vriendje had gezet. Dat is dus ook al niets nieuws.

Mevrouw Wilson liep rond om ons aan te moedigen en liet zien hoe zij eruit zou zien als ze op weg was naar haar vriendje (griezelig, sneu en met een angstaanjagende grijns op haar gezicht). Toen zei ze tegen mij: 'Georgia, je loopt nog steeds mank. En je rug is helemaal krom.'

Jep, en niet alleen aan de buitenkant.

onderweg naar huis

16.30 uur | We hadden het over de nachtmerrie met Slome Lindsay.

Rosie zei: 'Hoe weet je zo zeker dat ze het weet?'

Ik vertelde wat ze had gezegd over gisteravond en zo.

Rosie zei: 'Aha, ik snap het, zeg maar niets meer.' En ze begon weer eens te knikken als het bekende knikhondje. Even later deed iedereen mee. Ik zat in het knikhondenasiel van het leven.

Voor de verandering kwam Jas een keer met een soortement goed plan. 'Ik vraag wel even aan Tom hoe het zit.' Ze keek me onder haar pony vandaan aan en glimlachte best vriendelijk. 'Ik zal tegen hem zeggen dat hij, je weet wel, niet zo hard moet praten en zo.'

Bijna had ik haar gezoend. Ik zei: 'Bedankt Jas, soms ben je toch wel een heel goeie vriendin, en ik, nou, ik...'

Rosie merkte dat ik op het punt stond een griensessie te beginnen en zei snel: 'Hé, weet jij wat voor boek Tarzan heeft geschreven? Nou? Nou?'

We schudden allemaal ons hoofd en waren op het ergste voorbereid.

'_Lord of the Strings._'

Het was zo'n waardeloze grap dat ik er toch wel een piepklein beetje om moest lachen.

Juul zei: 'O trouwens, ik moest nog vertellen dat Katie Steadman dit weekend weer een feestje geeft, en we zijn allemaal uitgenodigd.'

Ik heb eigenlijk geen zin in feestjes, maar ik zal toch een beetje mezelf moeten blijven.

vrijdag 1 juli

| 13.00 uur | Er is gek genoeg iets moois gebeurd! Denk ik. Misschien.

Normaal worden we altijd gedwongen in de pauze buiten ons brood op te eten en op het schoolplein te bevriezen terwijl de fascisten (leraren) lekker warmpjes binnen zitten. Daarom sluipen we weer de school in en houden ons schuil bij de praktijklokalen, meestal in het scheikundelokaal, zodat we in geval van een plotselinge razzia in een zuurkast kunnen duiken en de luxaflex dichttrekken. En daar blijven we dan zitten tot de nazi's weer weg zijn. Voor de zekerheid gaan we altijd op onze hurken onder het raam zitten, zodat ze ons van buiten niet kunnen zien. En we gooien allemaal witte jassen over ons heen voor als er iemand binnenkomt en we geen tijd hebben voor het duik-in-de-zuurkast-scenario; dan doen we gewoon alsof we een berg witte jassen zijn.

Toevallig is het vandaag bloedheet. Minstens tachtig graden in de schaduw.

Ellen zei: 'Kunnen we niet gewoon naar buiten gaan? In plaats van, eh, bijna dood te gaan van de hitte onder een berg ouwe witte jassen... of zo.'

De rest van de club begon te knikken. Ik moest de zaak gauw in de hand zien te krijgen. Ik zei: 'Ja, ja, natuurlijk zou het fijn zijn om buiten in het zonnetje te zitten, misschien wat te zonnebaden en zo... Maar principes zijn principes en we zullen nooit zwichten voor de tirannie van...

Dus, onder de witte jassen allemaal. Doe alsof er niets aan de hand is!'

Waar was ik?

O ja, onder het raam. Dat openstond. We zaten net over de trouwerij te kletsen. Rosie zei: 'Sven weet niet wat hij aan moet.'

Ik zei: 'O jee. En waarom maakt hij zich daar precies druk om? Het gaat toch nooit gebeuren. Ook niet over vijfenhalf jaar.'

Rosie zei: 'Ach ja, jij bent altijd al cynisch geweest, Georgia. Dat komt doordat je zo vaak in de oven van de liefde hebt gezeten. Maar toevallig houden we binnenkort een oefentrouwerij.'

'Je kletst uit je nekharen.'

Rosie keek me met opgetrokken wenkbrauwen aan en zei: 'Wat vinden jullie: wijdepijpenbroek of lederhosen?'

We wilden het net over wijdepijpenbroeken versus lederhosen gaan hebben toen we stemmen hoorden en abrupt onze klep dicht moesten houden. Vooral omdat het Slome Lindsay en VSM (Verbazingwekkend Saaie Monica) bleken te zijn. We konden ze duidelijk horen, want ze stonden voor het open raam te praten. We veranderden ter plekke in een overtuigende berg witte jassen en spitsten onze oren.

VSM zei: 'Wat zei hij dan precies?'

Slome Lindsay zei: 'Hij zei dat hij geen vriendin wilde omdat hij pas een relatie had gehad en nu, je weet wel, even geen relatie wilde.'

VSM zei: 'Wat ga je nu doen?'

Slome Lindsay zei: 'Nou, hem op andere gedachten brengen, natuurlijk. Het enige probleem is dat hij zei dat hij al iemand verdriet had moeten doen die hij heel graag mocht, en het klonk alsof hij iemand hier bedoelde, niet in Italië. Maar hij wilde niet zeggen wie het was.'

VSM: 'Heb je enig idee wie het is?'

Toen sprak Slome Lindsay de cruciale woorden: 'Volgens mij kan het helemaal niet, want ze is de sufste troela die ik ooit ontmoet heb, maar… eh… nee, dat kan niet. Zo stom of wanhopig is hij niet.'

VSM ging verder: 'Je bedoelt toch niet…'

Slome Lindsay zei: 'Ik weet het, dat geloof je toch nooit? Maar ik hou mijn ogen open en als ik zie dat zij het is, nou… dan zou ik niet graag in haar schoenen staan.'

Toen liepen ze weg.

Rosie stak haar hoofd uit de berg witte jassen en keek me aan. Ik keek terug en ze stak haar duim naar beneden: 'O god op een houtvlot, je bent zo dood als een pier! Doder dan de doodste pier in een dode-pierenwinkel!! Geef me je uitnodiging voor de trouwerij terug. Die geef ik liever aan iemand die nog leeft als ik ga trouwen.'

spoedberaad Club van Azen

Ik zei: 'Denken jullie dat zij denkt dat ik het ben?'

Jas zei: 'Dat is toch zo duidelijk als wat? "De sufste troela die ik ooit ontmoet heb" zei ze.'

Ik zei: 'Ik wist niet dat JIJ iets met Masimo had. Dat zal Tom de Slakkenkoning niet leuk vinden.'

Dat legde haar het zwijgen op. Maar mij niet. 'Als ik het ben is dat eigenlijk best goed nieuws, want hij zei dat hij die persoon die ik dus misschien ben heel graag mocht. En dat is toch goed, of niet?'

Juul zei: 'Ja, maar wat als jij het niet bent?'

O god. Wat als er twee suffe troela's zijn die hij heel graag mag?

wiskunde

Ben ik het?

Heeft hij er spijt van dat hij me verdriet gedaan heeft?

O damnation, ik zit weer eens in de bakkerij van pijn.
Geef de baggerbroodjes maar door.

Wiskunde is uitzonderlijk saai vandaag. We zijn bezig met maten en gewichten. Waarom?

Rosie schreef me een briefje: *Weet je wat Smals maten zijn: 94, 86, 94 – en dan heb ik het alleen nog maar over haar kinnen.* Ik bracht haar de Klingon-groet.

Ik kan alleen maar aan dat gebeuren met Slome Lindsay denken. Aan de ene kant ben ik heel blij dat hij misschien wel verdriet heeft omdat hij me verdriet heeft gedaan, want dat zou betekenen dat hij verdriet heeft om het verdriet dat hij me deed. En dat is *bon*. Aan de negatieve kant: áls ik het ben vermoordt Slome Lindsay me.

Maar zelfs al ben ik het, hij is nog steeds niet mijn vriendje.

Al wil hij dat in zijn hart misschien eigenlijk toch wel.

vijf minuten later

Ik moet zorgen dat hij snapt dat hij míj wil. Ik moet naar *Zo wordt iedere sukkop verliefd op je* luisteren en mijn mysterieusheid en ijzigheid zo opvoeren dat hij als een elastiekje naar me terugschiet. Als ik nou een nepvriendje neem wordt hij misschien jaloers en ziet hij in dat hij op de verkeerde weg is.

vijf minuten later

Ik ga Dave Hahaha vragen wat ik moet doen.

een minuut later

Nee, dat gaat niet, want die zei laatst dat ene over elkaar leuk vinden en de boel verpesten en zo. Bovendien zou hij weer over Pizzapiepels beginnen en doen alsof Masimo eigenlijk een meisje is en alleen maar aan zijn haar denkt enzovoort.

twee minuten later

Maar in zijn hart vindt Dave Hahaha me leuk.

twee minuten later

En ik vind hem leuk. Dave Hahaha vindt mij leuk, ik vind hem leuk. Dat is toch simpeldepimpel?

een minuut later

We zijn geen kleine kinderen meer. Wat nodig is, is volwassenheid. En dat heb ik in overvloed. Dave en ik vinden elkaar leuk en zouden best meer met elkaar kunnen omgaan. Dat zou heel goed kunnen. Dat zou leuk zijn.

een minuut later

Heel leuk.
   Heel heel heel leuk.
   Wat is er mis met een jongen en een meisje die elkaar leuk vinden en het samen leuk hebben? Ik doe graag leuke dingen. Dave doet graag leuke dingen. We doen allebei graag leuke dingen.
   Ik weet allerlei dingen die we zouden kunnen doen.

een minuut later

We zouden... eh... weet ik veel, we zouden misschien... eh... ach, bijvoorbeeld, ik zeg maar even wat... o ja, over een paar weken is er een optreden van de Stiff Dylans. Het zou leuk zijn om daarheen te gaan.

een minuut later

En leuk een beetje te dansen.

Leuk een beetje dansen voor Masimo's neus – eens zien of hij dát leuk vindt!!!

O god, weer heb ik van Dave Hahaha in mijn hoofd mijn lokeend gemaakt.
Een kniplabbelende lokeend. Die errug goed kan zoenen.
Maar ik zou Dave nooit gebruiken. In geen triljoen jaar.

Hij zou me trouwens zo door hebben.

Tenzij ik het een beetje subtiel aanpak.
En hem compleet van zijn sokken zoen.

Ik heb een inwendig rood achterste dat de kop moet worden ingedrukt. Terug in je hok, rood achterste!!!

het gekkenpaviljoen
beter bekend als de MacWaardeloos-repetitie

16.30 uur   Voor de repetitie stak mevrouw Wilson haar bekende peptalk af, maar Rosie verpestte het door een keiharde boer te laten. Ze zei tegen mevrouw Wilson dat het 'pre-generale gasvorming' was. Laat niemand beweren dat we niets leren bij bio.
Gek genoeg is Dave Hahaha nergens te bekennen. Ik hoop niet dat hij de p in heeft.

Misschien ligt het aan mij, maar de hele troep gedraagt zich vandaag een beetje hysterisch. Waarschijnlijk omdat de voorstelling al over een week is en behalve onze goeie ouwe streber Jas niemand zijn tekst uit zijn hoofd kent.

Net toen we Puistcrige Norman begonnen uit te leggen hoe hij het licht moest overnemen van Dave vloog de deur open en kwam Dave met zijn stropdas om zijn hoofd geknoopt de aula binnen.

Mevrouw Wilson gaf hem haar versie van een uitbrander, d.w.z.: 'Nou, je bent wel... Ik bedoel, we zijn al tien minuten bezig en... eh... het zou best fijn zijn als je voortaan... eh... op tijd zou kunnen komen.'

Dave zei: 'De tijd vliegt als je panty's aan hebt. Maar ik ben er nu; vooruit met de geit.'

Hij zei zijn vrienden gedag en kwam naar de zijkant van het toneel, waar ik stond. Ik keek naar de grond, want ik was bang dat hij mijn gedachten zou kunnen lezen en zou zien dat ik van plan was geweest hem als lokeend te gebruiken. Maar toen zei hij: 'Hé, chickie, niet naar mijn mannelijke onderdelen kijken.'

Ik probeerde verontwaardigd te doen, maar ik moet altijd wel om hem lachen, dus uiteindelijk grijnsde ik maar wat.

We begonnen de repetitie op hoog niveau met de heksenscène 'Harder poken, harder stoken'. In een vlaag van inspiratie hield Rosie op met in de ketel roeren voor een klein Vikingdisco-infernodansje. Ze had de tak die ze gebruikte om mee te roeren nog in haar hand, maar ze improviseerde gewoon maar wat. Stomp stomp naar rechts, stomp stomp naar links en VIKINGZ RULE!!!

Dave en ik begonnen spontaan te klappen, maar mevrouw Wilson zei dat ze niet zo raar moest doen. Rosie zei: 'Ik heb een stukje Vikinggebeuren aan ons spel toegevoegd, mevrouw Wilson. Ik denk dat Billy dat wel leuk had gevonden.'

Mevrouw Wilson begon zenuwachtig aan de knoopjes van haar vest te frunniken. 'Vikings hebben niets met Shakespeare's Macbeth te maken, Rosie.'

Dave zei: 'Weet u dat zeker, mevrouw Wilson? Misschien heeft Billy u niet alles verteld.'

Uiteindelijk wist mevrouw Wilson ons allemaal weer op onze plaats en aan het toneelspelen te krijgen. Een tijdje liep het allemaal best aardig. Maar toen ging het bergafwaarts. Misselijke P. Green liet per ongeluk het startpistool voor het strijdgewoel afgaan en Dave begon als een gek rond te rennen en te schreeuwen: 'Zoek dekking, zoek dekking.' Elvis Attwood kwam hijgend aangehold met zijn emmertje, klaar om iemand onder het zand te begraven mocht er brand uitbreken. Hij zei tegen Misselijke P. Green dat ze in het vervolg beter moest kijken waar ze haar kont neerplantte en rende weg om met zijn blusapparaat te gaan spelen. Mevrouw Wilson kreeg ons weer het podium op, maar toen kwamen we bij de banketscène. Voor de eerlijkheid moet ik erbij zeggen dat niemand de geïmproviseerde jongleer- en vuurspuwscène een goed idee vindt. Melanie bakt er helemaal niets van met die sinaasappels. Ze gooit ze maar zo'n beetje in de lucht en dan vallen ze op de grond en raapt zij ze weer op. Dat is nou niet echt wat ik noem jongleren. Eigenlijk is het gewoon met sinaasappels gooien. En zoals ik tegen mevrouw Wilson zei: 'Zou Billy het er niet bij geschreven hebben als hij het een goed idee had gevonden?'

Mevrouw Wilson zei: 'Tja... eh... dat is wel een interessant punt, Georgia, want weet je, in Shakespeare's tijd zou het stuk een... eh... soort veranderlijk iets zijn. De spelers zouden wel van de tekst uitgaan, maar er... eh... hun eigen ideeën op loslaten. Zoals, eh... ik dus deed met dat jongleren en die brand en zo.'

Rosie zei: 'Maar wat vond de Beul van Avon van uw idee?'

Mevrouw Wilson begon weer met de knoopjes van haar

vest te pielen. 'Tja, die is natuurlijk niet... eh... hij kan natuurlijk niets over mijn idee zeggen, want zoals je weet...'

Dave zei: 'Was hij kwaad op u omdat u niet verliefd op hem was, mevrouw?'

met z'n allen op weg naar huis

De gebruikelijke club. Ellen krijgt nog megasterke beenspieren als ze steeds met ons naar huis loopt. Ze loopt per dag vijftien kilometer extra, zo groot is haar liefde voor Dave Hahaha.

Rosie zei: 'Ik zag Misselijke P. Green naar Puisterige Norman kijken en volgens mij rook ik romantiek.'

Rollo zei: 'Sorry hoor. Tijdens die heksenscène liet ik er een waaien.'

Juul lachte als een gek aan de gekkenpilletjes. Tsss. Meiden doen soms zo achterlijk met jongens in de buurt. Ellen die kwijlt als ze Dave ziet, Juul die lacht om poep- en piesgrappen, en Jas hand in hand met Tom. Godzijdank heb ik nog enige trots.

Dave zei: 'Meneer Attwood is toch maar een kranig vrouwtje, hè?'

Ellen zei: 'O, maar hij is geen... ik bedoel, hij is geen vrouw.'

Ik keek haar aan. Dave keek haar aan. Ik zie geen hemelse verbintenis in het verschiet voor haar en Dave.

vijftien minuten later

Alleen Dave en ik nog. Ellen zal weer rond middernacht haar huis bereiken. Uiteindelijk nam ze de bus, met een zoveelste smachtende blik op Dave. Hij gaf haar een soort van lui zoentje op haar wang en ze ging zowat onderuit. Toen ze weg was keek hij me aan en zei: 'Wat? Wat?' Maar hij weet best wat. De zon viel in zijn ogen en hij zag er zo, ik weet niet... misschien is het de tijd van het jaar, maar volgens mij heb ik een beetje de Kosmische Kriebels. Maar nee nee nee, ik kies niet voor de Kriebels.

Dave zei: 'Ik zou best één dag een meisje willen zijn.'

Ik zei: 'Wauw, omdat je dan zou weten hoe het echt is om meisjesdingen te doen?'

Hij keek me peinzend aan. Dave kan heel diepzinnig en aardig zijn en hij is knap. O hellepie, als hij me probeert te zoenen heb ik denk ik niet de kracht om nee te zeggen. Toen zei hij: 'Ja precies, als ik een meisje was zou ik de hele dag voor de spiegel staan om naar mijn noenga's te kijken. En er de hele tijd aan voelen. Later, Kittekat.'

En hij ging er opeens heel snel vandoor. Wat raar. Meestal loopt hij bijna tot aan mijn huis met me mee, maar nu niet. Misschien moet hij voetballen of zo. Of misschien heeft hij een afspraakje. Met een meisje of zo.

bijna thuis

Prima. Leuk voor hem. Maakt mij niet uit.

mijn kamer

Wie zouden er allemaal op Katies feestje zijn?

Masimo waarschijnlijk niet.

Maar Dave wel, denk ik.

Misschien met zijn geheimzinnige nieuwe vriendinnetje.

Ik wil wedden dat ze heel gewoontjes is.

VRIEND VAN DE EEUW

zaterdag 2 juli

in de stad

| 13.00 uur | Ik was er eigenlijk niet voor in de stemming, maar de Club van Azen hield een spontane dansathon bij een cd-winkel voor de deur. Ze draaiden daar heel hard muziek die je op straat kon horen, dus we gunden het winkelend publiek het voordeel van onze disco-inferno. Volgens mij vonden ze het mooi, al was er het gebruikelijke gemopper van de ouden van dagen.

| 13.30 uur | Het Churchillplein was vergeven van jongens die liepen te 'boksen' en 'high-fiven' en ook verder de debiel uithingen. Een van de debielen keek zo aandachtig naar onze noenga's toen we langsliepen dat hij tegen een etalageruit aan dreunde.

Het thema van Katies feest is 'pop'.

En nee, ik bedoel niet dat we allemaal verkleed gaan als Barbie. Of Ken.

We moeten komen als popsterren en luchtgitaristen enzovoort. Het zal best lachen worden, en trouwens, ik hoef op niemand indruk te maken, dus wat maakt het uit hoe ik eruitzie?

drogist

Ik heb donkerrode lippenstift en nagellak en mam heeft vast wel een belachelijk topje van lurex of lycra voor me te leen. En ik trek mijn halfhoge suède laarsjes aan.

In de slaapkamer van het leven, bezig met mezelf optutten voor weer een lange avond van zoenersloeren en raar dansen. Maar joho en een vat met rum, ik moet niet vergeten dat ik wel eens de persoon zou kunnen zijn die Masimo leuk vindt en geen verdriet wil doen. Yesssss!!! Of misschien neeeee. Mijn vriendinnen zijn er in elk geval, en Dave Hahaha ook. Gewoon als vriend, en dat is leuk.

klokkentoren

| 19.00 uur | Juul, Mabel, Ellen en Jas waren er al toen ik kwam. God in zijn grote onderbroek, ze zijn letterlijk in rockbabe's veranderd. Ze dragen allemaal zwart met een heel klein beetje zwart. Zelfs Jas heeft haar haar getoupeerd. Omdat ik vanavond toch niet ga zoenen durfde ik mijn jongenslokkers wel op te doen. Bij de drogist heb ik er een paar gekocht met van die glittertjes erop. Ik vind ze zelf best wel cool.

Ik zei tegen de club: 'Waar is Rosie?'

Juul zei: 'Vlak voor ik wegging belde ze om te zeggen dat Sven zijn broek niet aankreeg, dus we zien ze bij Katie wel.'

Lieve help.

bij Katie Steadman thuis

| 19.40 uur | Het huis ziet er eigenlijk best gaaf uit. Katie heeft overal discolampjes opgehangen en een in leer geklede gast (hmmm, dat zal lekker zitten als het straks een miljoen graden is) staat achter de draaitafel.

| 19.45 uur | In de bomen in de tuin zitten allemaal kleine lichtjes! Ik word er bijna vrolijk van.

Katie gaf ons een hapje en zei: 'Iedereen komt: onze hele klas, de jongens van Foxwood en de vrienden van mijn broer... eh... wie nog meer? O ja, de Dame en zijn matties, en de meiden uit de buurt nemen nog wat vrienden mee. Ik kwam Dom nog tegen, je weet wel, van de Stiff Dylans, en die zei dat zij misschien ook nog even langs zouden komen.'

Ze liep weg en daar stond ik. Ik draaide me om naar Jas, die een worstenbroodje naar binnen stond te werken alsof ze in geen twee weken gegeten had, EN onderweg hadden we nog kaasdingesjes gehad. 'Hoorde je dat, Jas? Hè? Hè? Hoorde je dat?'

Ze kauwde en deed van: 'Oemmmmff.'

'Jas, is dat ja of nee?'

'Mmfff.'

Ik nam aan dat het ja was.

'De Stiff Dylans komen en weet je wat dat betekent? Dat betekent dat Masimo komt, want die zit in de Stiff Dylans.'

Het leek haar geen bal te interesseren, want ze was veel te druk met dat worstending en verder stond ze alleen maar te kijken wie er allemaal waren en met wie ze waren enzovoort. Ze is nogal oppervlakkig.

Ik wilde de anderen over de LiefdesGod gaan vertellen en een clubadvies inwinnen toen ik iemand hoorde jodelen. Sven was er. Jemig, zo'n strakke broek had ik nog nooit gezien. En hij droeg een cowboyjas met franjes en een cowboyhoed. Allebei zilverkleurig. Ik weet niet wat voor rockbands ze hebben in Lapland, of waar hij ook vandaan komt, en ik wil het niet weten ook. Rosie zag er niet veel beter uit. Ze had een minuscuul jurkje aan en laarzen tot over haar knieën met een zonnebril. (Ik bedoel niet dat die laarzen een zonnebril ophadden; zo beroemd waren ze niet.)

Sven kwam naar ons toe. 'Hallo, wilde en sexy chickies. Neem me! Gebruik me, stelletje vrouwtjesbeesten!!!' En toen greep hij ons een voor een beet, liet ons achterover buigen en kuste ons op onze mond. Een goed gesprek met hem of Rosie heeft helaas totaal geen zin. De muziek begon en hij deed meteen een van zijn angstaanjagende dansjes. Hoe hij in die broek de spagaat kan doen is me een raadsel. Het was maar goed dat Katie de hele kamer had leeggeruimd. De dj keek een beetje angstig in zijn leren broek. Hij bad denk ik dat hij platen koos die Sven goed vond.

| 20.45 uur | Het feest is nu in volle gang. Er zijn massa's mensen. Maar geen spoor van Masimo of de Stiff Dylans. Mijn zenuwen zijn naar de maan. Ik moet om de twee seconden naar de plee. Zal ik om ongelukjes te voorkomen die jongenslokkers afdoen?

even lucht happen in de tuin

| 21.30 uur | Zoals gewoonlijk is het feest één groot zoenfestijn geworden.

De Dame kwam met zijn matties en stevende recht op me af. 'Hallo, schoonheid, ken je me nog?'

En of ik me de Dame herinnerde. Sinds ik op een van Rosies feestjes mijn plakkerige ogen op hem had uitgeprobeerd was hij net mijn slaafje. Op zich niet zo erg, maar ik had hem alleen maar gebruikt om Dave Hahaha jaloers te maken.

Over Dave gesproken, ik vraag me af waar hij blijft. Niet dat het me wat uitmaakt.

De Dame keek naar mijn mond en liet zijn blik toen naar mijn noengazone dwalen. Dacht hij soms dat dat sexy was? Toen zei hij: 'Heb je zin om even met me naar buiten te gaan?'

Ik zei: 'We zijn al buiten.'

Een normaal iemand had op dat moment het licht gezien, maar de Dame niet, hoor. 'Oké, maar wil je niet nog verder naar buiten?'

Spoort hij wel helemaal? Die plakkerige-ogentechniek gebruik ik nooit meer. Ik vroeg me net af of ik hem neer zou

slaan en het op een lopen zou zetten toen Dave Hahaha opeens naast me stond. Hij knipoogde naar me. 'Goedenavond,
feestbeesten.'

Ik ben nog nooit zo blij geweest om iemand te zien. Ik
lachte breed naar hem, zonder eraan te denken dat mijn
neus alle kanten op ging. Ik zei: 'Dave!!! Top dat je er bent!'

Hij keek een beetje verbaasd. 'Kalm aan, wijffie. Ik weet
dat ik een lekker ding ben, maar...'

Ik pakte hem bij zijn arm en zei: 'Dit vind ik zo mooi...
laten we dansen.' En ik sleurde hem mee naar de dansvloer.

een halfuur later

Ik moet zeggen, het is vet lachen met Dave en hij kan goed
dansen. Hij maakt steeds zo'n luchtgitaarsprongetje waar ik
heel erg om moet lachen. We gingen ook nog even met de
ruggen tegen elkaar luchtgitaardansen en lieten ons achterover op de grond zakken, en toen we weer overeind kwamen begon iedereen te klappen.

22.40 uur   Rosie stond met twee glazen in haar hand
over haar romantische ingebeelde bruiloft te
praten. 'Voor de hapjes nemen we denk ik een rendierthe-
ma.'

Haar 'verloofde' kwam van achteren op haar af en trok
haar broek naar beneden. Tsss. Haar broek hing op haar enkels en ze kon hem niet optrekken omdat ze haar handen
vol had. Sven ging er al dansend weer vandoor en schreeuwde: '*O jah, o jah!*' Zijn fluorescerende broek glom op de
dansvloer.

Rosie zei tegen me: 'Pak die glazen, omijngod, omijngod, vlug vlug.'

Maar ik lag in een deuk. Ik wilde haar wel helpen, maar
het was gewoon té grappig.

Aan het eind schuifelde ze met haar ondertent rond haar
enkels naar een tafel om de glazen neer de zetten. Ze trok

haar broek op en ging briesend op zoek naar haar 'verloof-de'. Errug leuk wel.

23.00 uur | Ik raakte de anderen kwijt en had het zo warm van het dansen dat ik even naar bui-ten ging om een luchtje te scheppen. Ik stond tegen de muur geleund toen Dave door de openslaande deuren naar bui-ten viel. Hij zag me en zei: 'Dit is ons nummer, Kittekat! Kom op, ROCKEN!'

Hij wilde me weer naar binnen trekken, maar ik zei: 'Nee, ik wil niet, ik heb het veel te warm, ik moet lucht hebben.'

Hij zei: 'Wacht even, wijfie, dan haal ik iets te drinken.'

Hij ging naar binnen en ik zag hoe hij zich al swingend een weg over de dansvloer baande en onderweg steeds stop-te om met een groepje meisjes te dansen. Hij is zo'n flirt.

Hij kwam teruggedanst met iets te drinken en we gingen achter in de tuin tegen een boom staan. Het was een heer-lijke zomeravond en de sterren irriteerden me niet eens. Ze herinnerden me aan mijn avond met Masimo. Ik vroeg me af of de LiefdesGod nog zou komen. Toen dacht ik: als hij nog komt is het misschien wel goed voor hem om mij met Dave in de tuin te zien staan. Dat geeft hem misschien een beeld van mijn ijzigheid.

Onder het drinken keek ik over de rand van mijn glas naar Dave en hij keek naar mij. Zo leken we elkaar wel eeuwen aan te kijken. Toen pakte hij mijn glas en zette het op een bankje. Hij nam mijn hoofd in beide handen (ik be-doel niet dat hij het van mijn nek af trok) en kuste me. Hij kniplabbelde me. Wauw, al ben je nog zo verliefd op een LiefdesGod, je kunt niet ontkennen dat Dave supergoed is in zoenen. Ik kreeg net weer klepperknieën en een vloei-baar brein toen Dave stopte. Nee nee nee niet stoppen!!!

Hij zei: 'Mooi niet, juf, daar begin ik niet nog een keer aan.' En hij gaf me een tik op mijn billen en ging naar bin-nen.

Hè? Wat?

Waarom gaf hij me een tik op mijn billen? Waarom stopte hij met kniplabbelen? Hoe bedoelt hij 'daar begin ik niet
nog een keer aan?'

Ik geloof dat ik een paniekaanvalletje krijg.

Ik bleef nog even in de tuin en ging toen naar binnen om
de club te zoeken. Sven had de muziekafdeling gekaapt en
de dj zei: 'Eh... mag ik mijn apparatuur terug, vriend?'

Sven sloeg een arm om hem heen. Hmm. Toen kuste hij
de dj op zijn mond. Ik dacht dat de leerman over zijn nek
zou gaan. Maar hij heeft een onzinnig soort moed, dat moet
ik wel zeggen, want hij wurmde de knoppen weer uit Svens
vingers. Sven vond het best, hij bleef met zijn arm om de
leerman heen staan knikken op de maat van de muziek.

Juul en Rollo waren aan het zoenen en dansen tegelijk,
dus daar had ik niets aan. Jas was vroeg naar huis gegaan,
want ze wilde 'fit' zijn voor haar wandeling morgen met
Tom. Ik zag Ellen met Dave Hahaha praten, dus daar moest
ik ook niet zijn. Mabel kon ik nergens vinden. Die zat vast
onder een berg jassen ergens te zoenen. Ze heeft heel weinig trots en heel veel Kosmische Kriebels.

Ik ging naar de keuken, waar Roro hapjes voor Sven aan
het halen was. Ze zei: 'Lachen, hè?'

En ik zei: 'Maar een beetje, tante keetje.'

Terwijl zij de keuken uit ging kwam Katie binnen. Ze
zei: 'Ik heb het super naar mijn zin, te gekke lui, hè? Echt
supergave mensen allemaal. Jammer dat de Dylans niet konden komen, maar Dom zei dat ze een belangrijke vergadering hadden.'

O, typico.

Toen ik de keuken uit kwam zag ik Dave met zijn jas aan
de gang in komen. Ik heb vast iets verkeerd gedaan als hij nu
al naar huis gaat. Ik zei tegen hem: 'Ga je al, Dave? Zal ik...'

En terwijl ik dat zei kwam Emma Jacobs, ook met haar
jas aan, de kamer uit. Dave nam haar bij de hand en zei: 'Ja
man, we gaan pleite hier. Hou je taai, vriend.' Emma keek
heel meisjesachtig naar hem op en ze verdwenen in de nacht.

Ik wilde er niet met de anderen over praten, dus ik gaf Emma en Dave een paar minuten voorsprong en vertrok toen zelf ook. Ik voelde me heel gek.

| 23.30 uur | Ik slinger letterlijk heen en weer op de gol- ven van het leven.

Tussen wal en schip.

En er is niet eens een schip.

Waarom voelt het zo raar dat Dave met iemand anders naar huis gaat? Net goed voor mij, want ik wilde hem toch maar als lokeend gebruiken. Alleen was dat het niet alleen, want ik mag hem echt graag, en toen ik hem zoende dacht ik verder nergens meer aan. Ook niet aan mijn grenzeloze liefde voor Masimo.

vijf minuten later

Het is doodstil op straat en ik kijk de verlichte huizen in, waar mensen binnenpret hebben. En ik ben buiten en heb onpret.

Ik ben compleet in het warretje. Soms voel ik me zo wanhopig dat ik bijna wou dat ik Jas was. Niet omdat ze zo'n leuke onderbroekenobsessie heeft, maar omdat ze gewoon van Stukkie houdt zonder aan anderen te denken. Misschien komt dat doordat hij haar echt leuk vindt en niemand anders wil en wordt zij daardoor ook zo. Of misschien komt het doordat haar Mutti en Vati zo zijn. Als ze een prostituee en een gestoorde gek als ouders had zou ze misschien niet zo gruwelijk braaf en blij zijn. Trouwens, ze is naar huis gegaan zonder eerst even te kijken of het wel goed met mij ging. Ik moet haar dus wel haten.

vijf minuten later

Dom woont hier ergens. Ik geloof zelfs dat dit zijn straat is. Zou hij nog steeds die vriendin hebben? Ik denk het wel;

het lijkt erop dat verder iedereen bij elkaar blijft. Zij zijn geen slaaf van de Kriebels.

een minuut later

Ogotterdegod, daar heb je Dom met zijn vriendin! Ze zitten op een stoepje voor een voordeur. Dat is dan vast zijn huis. Hij mag niet zien dat ik in mijn eentje op weg ben naar huis. Anders vertelt hij Masimo dat hij me als een zielige hardhorende gek zag ronddwalen, en dan is mijn kans op ijzigheid en flair voorgoed verkeken. Als ik nu heel langzaam achteruitloop zien ze me misschien niet, en als ik eenmaal de hoek om ben...

Dom keek op en zag me achteruitlopen. Hij riep: 'Hé, Georgia, wat doe je?'

O gottiegod.

Ik zwaaide achteloos. 'Hoi Dom... ik heb mijn, eh... sleutels laten vallen.'

Wat???

Dom stond op en zei: 'Nee hè, balen. Wacht, ik help je zoeken. O, en Masimo is binnen. Ik ga even zeggen dat je er bent.'

Wat???

Neeeee.

Ik schreeuwde bijna: 'NEE... eh, ik bedoel, laat maar zitten, ik...'

Maar Dom rende al naar binnen, gevolgd door zijn vriendin, die me heel raar aankeek. Ze voelt natuurlijk aan haar water dat ik mijn sleutels helemaal niet heb laten vallen en gewoon als een eenzame wolk door de straten zwerf. Zal ik me verstoppen voor ze terugkomen? Ja, ja, dat is de verstandigste oplossing. Ik ga gewoon achter een auto zitten tot ze weer weg zijn.

Ja, ja, dit gaat lukken. Ik blijf hier zitten tot ze naar binnen gaan, en dat is dan weer dat. Ja, ja. Zo stil als een muisje. Ik ben een klein onzichtbaar meisjesmuisje.

Toen ik daar zo op mijn hurken zat kwam er een man langs met zijn hond. Hij keek op me neer en zei: 'Alles goed, meisje?'

En die rothond van hem likte mijn gezicht.

Ik zei: 'Ja, ja, ik...'

'Zoek je iets?'

'Nee, eh, ik bedoel ja, ja, mijn sleutels.' (Gaweggaweg, niet likken, fort!)

Ik hoorde stemmen aan de andere kant van de straat en meneer Goede Buur riep: 'Dominic, er is hier een jongedame die haar sleutels kwijt is. Kom even kijken, wil je? Ik zie niet zo best in het donker.'

Goed genoeg om onschuldige mensen die achter auto's verstopt zitten te bespioneren, maffe bemoeial. Waarom was hij niet gewoon zoals onze buren: krankzinnig en niet behulpzaam? Maar nee hoor, hij moest zo nodig HELPEN. Wat moest ik nu doen?

een minuut later

Vanuit mijn positie op de grond zag ik een heleboel benen. Dit was voorbij de Vallei van de Bijna Totale Zieligheid, op de grens van het Land van Alles Gaat Helemaal Fout.

Toen hoorde ik de woorden: 'Georgia? *Ciao. Come sta?*'

Fantastisch, de LiefdesGod is geland.

Hoe denkt hij dat het gaat?

Hij heeft me gedumpt omdat ik niet genoeg wereldwijsheid heb, en nu ziet hij me midden in de nacht op mijn hurken achter een auto zitten, terwijl een hond aan mijn kont likt.

De enige mogelijkheid was om met een soort achteloos-heid-ten-koste-van-alles op te kijken.

Dat deed ik dus. Ik keek op en lachte en zei: 'Jeetje, Ma-simo, wat een... toeval! Ja hoor, met mij gaat het, eh... top, dank je.'

Ik stond vlug op en zei: 'Ahahaha! Gevonden!'

Ik keek expres niet naar Masimo. Dom zei: 'O gelukkig, waar lagen ze nou?'

'O, ze zijn vast uit mijn tas gevallen toen ik... toen ik mijn... toen ik mijn zaklamp pakte.'

Waarom zei ik dat? Wie heeft er in een compleet ver-lichte straat nou een zaklamp bij zich? Ik zal je zeggen wie. Een verzonnen persoon die enorme onzin uitkraamt. Ge-lukkig was het donker; nu zagen ze tenminste niet dat mijn kop zo rood was als vuur, met een klein zweempje kreeft.

Ik keek stiekem naar Masimo en zag dat hij een beetje stond te lachen. Moet hij er per se de hele tijd zo verruk-kellie uitzien? Toen bedacht ik opeens dat hij misschien dacht dat ik hem aan het stalken was, dat ik me achter au-to's verstopte om naar hem te loeren. O neeee.

Ik zei: 'Ik... eh... was op Katies feestje.'

Dom zei: 'O ja, jammer dat wij niet konden komen. Al-hoewel, strakke leren broeken staan me niet zo goed. Maar jij hebt een, eh... cool truitje aan.'

Ik keek naar mijn outfit. O heel fijn, was ik niet sprekend een prostituee, met die laarzen en dat topje, sliertend over straat? Wat een heerlijk leven heb ik toch. Ik zei: 'O, dank je. Ja, het was best lachen, maar wel een beetje veel kleine kinderen, weet je – debiel dansen en zo, je kent dat wel – dus ik nam een kortere route naar huis en...'

Masimo had nog steeds niets gezegd. Maar toen zei hij: 'Misschien moet ik even meelopen naar je huis, voor als je... weer iets laat vallen... misschien je, hoe zeg je dat?'

Hij zei iets in het Italiaans tegen Dom en Dom lachte en zei: 'Kompas.'

O god, ze lachten me uit.

Ik voelde een enorme onstuitbare brulbui opkomen. Ik denderde keihard op Station Jankenstein af, dus ik kon maar beter vlug dag zeggen.

Ik zei: 'Ik red me wel, dank je. Dan wens ik jullie allebei een goedenacht.'

O joepie, ik klonk als de eerste de beste sukkel uit Dickens. Het verbaasde me dat ik niet ook nog 'En God zegene jullie' had gezegd.

Masimo raakte zachtjes mijn arm aan. 'Kom Georgia, wij lopen een stukje. *Ciao*, Dom.'

Dom zei: '*Ciao*,' en ging weer naar binnen.

twee minuten later

We liepen zwijgend de straat uit. Ik wist niet meer of ik mijn lippenstift nog wel gecheckt had voor ik bij Katie wegging. Ik was nogal paniekerig vertrokken, dus waarschijnlijk niet. Misschien kon ik nu even snel kijken? Ik kon mijn hand onopvallend in mijn tas steken, op de tast mijn lippenstift zoeken, met één hand de dop eraf halen en hem stiekem naar mijn mond brengen terwijl ik omlaag keek. Of doen alsof ik omkeek en dan zogenaamd hoesten en snel stiften. Nee, ik kon geen tassenfiasco meer riskeren. Misschien was er een autospiegel? Nee nee, te laag. De spiegel van een langsrijdende bus of vrachtwagen dan? Houjekop houjekop.

Masimo zei: 'Was het een leuk feest?'

Ik zei: 'Ja hoor, het was super en ook best wel vet.'

Masimo ging verder (hij heeft een heerlijke stem): 'Dom, hij zegt vanavond na de vergadering, wij kunnen nog naar een feestje, maar hij zegt niet dat jij er bent, en ik denk: misschien wil ik niet naar een feestje. Mijn stemming is niet goed voor te dansen.'

Wat betekende 'mijn stemming is niet goed voor te dansen'? Betekende het dat hij geen zin had om te dansen, of betekende het dat hij niet in de STEMMING was om te

128

dansen, d.w.z. dat hij in een droevige stemming was? En als hij in een droevige stemming was, wat betekende dat dan weer? Hij zei ook dat hij niet wist dat ik er was – zou hij wel zijn gekomen als hij dat had geweten? Of bedoelde hij dat hij... O, hou toch je kop, brein. Als hij nou maar eens ophield met praten en me gewoon vastpakte, dan was alles duidelijk.

Onder het lopen kwamen we soms met onze armen tegen elkaar en het was net een elektrische schok. Ik had echt geen flauw idee wat ik moest zeggen, behalve 'Kus me, kus me, jij goddelijke Italiaanse liefdeshengst!'

Toen we bij mijn straat kwamen bleef Masimo staan. 'Georgia, de laatste keer dat ik je zag heb ik niet... eh, ik wil je... hoe zeg je dat... *spiegare*... uitleggen wat...'

Ik zei snel: 'O, helemaal niet nodig hoor, je hoeft niets uit te leggen, ik snap het best.'

Masimo legde een hand op mijn arm. 'Ik denk dat ik je pijn heb gedaan en dat... dit is niet wat ik wilde... Ik...'

Ik lachte als een boer met ongelooflijke kiespijn en zei: 'Echt, heus, ik ben zo blij als twee blije dingen op een blije dag in Blijland.'

Hij keek alsof hij er niets van begreep. 'Jij bedoelt... jij bent oké? Alles gaat goed met je?'

'Reken maar van yes.'

Hij glimlachte naar me. 'Gelukkig maar, *cara*. Daar ben ik blij om. Nu kunnen we misschien vrienden zijn en...' O nee, hij had 'vrienden' gezegd. Hij haalde pen en papier uit zijn zak en begon te schrijven. 'Hier is mijn nummer. Bel je me, dan gaan we leuke dingen doen... misschien eten en dansen? *Si?*'

Ik zei niets. Ik was bang dat ik in tranen uit zou barsten. Ik bleef gewoon naar hem lachen. Eigenlijk stond ik al zo lang te grijnzen dat ik waarschijnlijk altijd zou moeten blijven grijnzen omdat mijn gezicht vastzat. Hij stopte het papiertje in mijn hand. Ik lachte maar door.

Toen gaf hij me een zoen op mijn wang. 'Je bent zo aar-

dig. Ik mag je heel graag, Georgia. Bel me. We kunnen...
hoe zeg je dat... gewoon goede vrienden zijn. *Ciao.*'
En hij liep terug de straat uit. Hij draaide zich nog een
keer om en zwaaide en wierp me een kushandje toe. Ik
zwaaide lachend terug en zong intussen dat oude pokken-
lied 'Lach maar door je tranen heen'.

mijn slaapkamer

Ik, alleen met de nacht.
En Tijger en Schele Simon en Libby en haar speelgoed.
Ik wil zijn 'goede vriend' niet zijn.
Ik heb genoeg zogenaamde 'goede vrienden'
Zelfs die verrekte Dave Hahaha zei: 'Hou je taai, vriend.'
Hoe kan het dat ik van een 'Sekspoes' veranderd ben in
een 'vriend', en dat binnen één dag?
Ik wil geen 'leuke dingen' doen met Masimo.
Wat verwacht hij eigenlijk van me? Dat ik een kopje kof-
fie bij hem kom drinken en dan zeg: 'Oké, ik ga maar weer
eens. Later, vriend.'?

vijf minuten later

Of dat ik erbij ga staan kijken terwijl mijn 'goede vriend'
na een optreden van de Stiff Dylans met andere meiden staat
te zoenen? En als hij met iemand naar huis gaat, dat ik hem
dan naroep: 'Geluksvogel die je bent! Dat heb je mooi ge-
flikt! Zie je wel weer, vriend. Doe niets wat ik ook niet zou
doen! Dan kan je dus nog wel even vooruit! Hahaha!!!'
Gewoon goede vrienden?
Ik ga mooi zijn stomme 'vriend' niet zijn.
Ik heb niet eens zin om 'vrienden' te zijn met de 'vrienden' die ik al heb.
En ik moet ook al 'vrienden' zijn met Dave Hahaha.
Dat zijn wel weer genoeg 'vrienden' voor één leven.

Vrienden.

zondag 3 juli

| 10.30 uur |

Jas belde. 'Ben je al wakker, Georgie?'
'Nee.'
'Oké, kan ik langskomen?'
'Waarom? Is Tom zonder jou op slakkenjacht gegaan? Ik dacht dat je vandaag met hem ging WANDELEN en dat je daarom gisteravond je beste vriendin niet gedag kon zeggen.'
'Eh… nee, ik heb gewoon zin om je te zien en te kletsen en make-up uit te proberen en zo.'
'Hij is zonder jou op slakkenjacht gegaan.'
'Helemaal niet.'
'Wat dan wel?'
'Nou, ze zijn een soortement zondagse voetbalclub begonnen en, eh… nou ja, dat is goed voor hem. En trouwens, hij heeft een missie want ik heb gezegd dat hij zo veel mogelijk te weten moet komen over het Masimo-gebeuren.'
'Huh.'
'Hoe bedoel je, huh?'
'Gewoon, huh.'
'Zal ik komen?'
'Als je wilt. Kunnen we oefenen met "gewoon goede vrienden" zijn, aangezien dat mijn levenswerk schijnt te worden. Ik kom nog eens op tv als "Vriend van het Jaar".

Jas en ik in bed met cornflakes

| 00.00 uur |

Jas vindt het 'leuk' bij mij thuis. Ze vindt het wel grappig dat we eigenlijk alleen maar biscuitjes te eten hebben en dat mijn vader om de dag zijn

131

baard in de fik steekt. En dat de katten bij de buren geweest zijn om de botten op te graven die de Pokkenpoedels zo zorgvuldig in de komposthoop verstopt hadden.

En dat ze die nu aan mijn voeteneinde zitten op te peuzelen. Ik hoor het verschrikkelijk kraken, maar ik ben te moe om me er druk over te maken.

Het is niet leuk bij mij thuis.

Het is triest.

00.15 uur Jas maakte me net bijna aan het lachen toen ze uit bed stapte en er nog een stukje Vikingdisco-infernodans bij verzon. Het is een soort snufje in de lucht. Het gaat van stap naar rechts, stap naar links en dan suf snuf. Zoals een Vikingbizon het zou doen. Als hij op zoek was naar prooi. Als er zoiets bestond als een Vikingbizon.

Top.

00.30 uur Ik bereid me er geestelijk op voor dat ik Jas ga vergeven. Ze is bijna aardig voor me nu ze hier is. Ze zei dat ze dacht dat mijn neus aan het krimpen is. Ze verpestte het wel een beetje door eraan toe te voegen: 'Of je hoofd wordt groter.'

Maar goed, het was aardig bedoeld. Denk ik.

Wordt mijn hoofd echt groter?

Onder het meten vertelde ik wat er op Katies feestje gebeurd was. Ik vertelde ook dat Dave Hahaha met Emma weggegaan was en zij zei: 'Maar dat vind je niet erg, want je houdt van de Italiaanse Hengst.'

'Ja, dat staat als een paal boven water, maar nou ja... ik ken Dave al heel lang, en hij zei toen dat we misschien iets met elkaar zouden moeten beginnen.'

'Ja, dat zei hij, maar wat vind je zelf?'

'Hoe bedoel je wat vind ik zelf? Hoe moet ik dat nou weten?'

'Nou, ik weet dat Tom mijn enige echte ware is.'

'Ja, maar dat komt doordat je zo saai bent, eh... ik bedoel te, eh... te blind van liefde om de Kosmische Kriebels te voelen kriebelen.'

'Weet ik.'

Ze is bloedirritant, maar dat hoort nu eenmaal bij haar.

Omdat we het zo gezellig hadden en weer net als vroeger beste vriendinnetjes waren, legde ik mijn dinges voor haar bloot. Ik vertelde dat ik op weg naar huis Masimo was tegengekomen terwijl er een hond aan mijn achterste likte.

Ze zei: 'Godsamme, vriend.'

Ze had 'vriend' tegen me gezegd, maar ik liet het maar zo.

Ze ging verder: 'En, geef je het nu op met hem?'

Ik zei: 'Jep, ik heb mijn borst vooruitgestoken, maar mijn borst ontplofte in mijn gezicht, wat best pijnlijk is, zeker als je zulke noenga's hebt als ik.'

Daarna hadden we een tijdje de slappe lach, want het moet gezegd worden, ook al ben ik het zelf die het zegt: al ben ik nog zo wanhopig en bivakkeer ik in de bakkerij van pijn enz., je kunt wel met me lachen.

Toen we met nog een zak kaasknabbeltjes onze energie weer een beetje op peil hadden gebracht ging ik verder: 'Ik moet mezelf wijs maken dat hij niet bestaat en hem dan *ignorez-vous*en.'

'Dus als we naar het optreden van de Stiff Dylans gaan doe je net alsof hij een aftreksel van een hersenspinsel is?'

'Nee, ik doe niet alsof hij een aftreksel van een hersenspinsel is. Dat hoeft helemaal niet, en weet je waarom niet? Omdat ik niet naar het optreden van de Stiff Dylans ga.'

'Jemig.'

Ik knikte, kauwend op mijn kaasknabbeltjes.

'En dat is een feit dat in steen gebeiteld staat. Ik ga NOOIT meer naar een optreden van de Stiff Dylans.'

'Jemig.'

'Hij gaf me zijn telefoonnummer en zei dat ik hem moest bellen, zodat we als goede vrienden leuke dingen met elkaar konden gaan doen.'

'Jemig.'

'Jas, kun je misschien nog iets anders zeggen dan jemig?'

'Oké.'

'Maar ik zal je zeggen wat ik met dat telefoonnummer ga doen. Ik ga naar het bos om het ritueel te verbranden, zodat ik nooit in de verleiding zal komen om hem te bellen, ook niet in mijn zwaarste aanvallen van kriebeligheid.'

En Jas: 'Jem... eh... gossie.'

in het bos

| 15.00 uur | Ik heb het papiertje met Masimo's nummer verbrand en onder een eik begraven. (Tenminste, Jas veegde met een takje een beetje aarde opzij en dat gooiden we er toen weer overheen. En ze nam er ruim de tijd voor, want ze zag een paddenstoel die volgens haar misschien wel een 'bijzondere' paddenstoel was.)

| 21.00 uur | Ik voel niet eens tragisiositeit. Ik voel nietsiositeit.

En geloof me, dat is helemaal niet makkelijk uit te spreken – zeker tragisiositeit niet.

Maar goed, ik zal nooit meer iets voelen.

Mooi.

Ik ben klaar met de liefde.

Het is verspilde moeite.

Ik ga gewoon voor de rest van mijn leven op mijn kamer zitten niksen.

| 22.00 uur | Is dit saai of is dit saai?

Het is minstens zo saai als een dubbel uur wiskunde gevolgd door een preek van Smal over de tijd dat zij nog een meisje was en op school zat met koning Arthur en Hans en Grietje, of hoe al die saaie pieten van een eeuw geleden ook mogen heten.

| 22.10 uur | Heb mijn brieven van de ex-SeksGod tevoorschijn gehaald. Ik weet niet waarom ik ze nog bewaar. Of de foto's die ik van hem heb. Om mezelf te kwellen, denk ik. Ik zou ze weg moeten gooien, samen met de rest van mijn leven.

Ik leg alles wat ik nog van hem heb bij elkaar en dan ga ik doen wat je hoort te doen als je verdergaat met je leven: de hele boel in de hens steken en niet meer achterom kijken. Het verleden is voorbij, een nieuw lesbisch monnikentijdperk breekt aan.

| 22.15 uur | Robbie schreef: *Het zou leuk zijn om weer eens iets van je te horen. Ik denk vaak aan je.* Ach, dat was toch eigenlijk best aardig? Op een bepaalde manier. In elk geval gebruikte hij niet het woord 'vriend'.

| 22.30 uur | Misschien ga ik hem wel weer schrijven. Hij vindt het vast leuk om een brief van een lesbische monnik te krijgen. Dat vindt iedereen toch leuk?

| 22.35 uur | En het kan toch helemaal geen kwaad? Hij is kilometers ver weg – aan de andere kant van de Transsiberische Oceaan of hoe heet dat ding. In het land van de geisers en ontploffende hoeheethets.

| 22.45 uur | Wat zal ik schrijven? Ik balanceer op het slappe koord tussen ijzigheid en vriendschappelijkheid. Met een zweem van 'je weet niet wat je mist, gevederde vriend.'

| 00.00 uur | Het viel nog niet mee om die brief te schrijven. Maar omdat ik tegenwoordig graag mijn hele hebben en houwen blootleg – woeha – vertelde ik hem alles. Ik dacht: *O, bekijk het ook maar! Wat kan mij het bommen! Neem me maar zoals ik ben, de echte Georgia. De enige echte, die niet langer bang is om haar mannetje te staan. Gebla-*

kerd in de oven van de liefde en vetgemest in de bakkerij van pijn en... Oké, waar was ik? Voor ik weer afdwaalde naar die bakkerij?

O ja, eerlijkheid.

| 00.03 uur | Ik hoef er natuurlijk niet bij te zeggen dat ik al die keren dat ik mezelf compleet en totaal voor aap zette heb weggelaten. Maar ik vertelde hem wel alles over de bizonhoorns en de Vikingbruiloft. Ik schreef zelfs dat Herr Kamyer misschien bruidsmeisje wordt.

| 00.05 uur | Ik ben eigenlijk best opgevrolijkt van al dat geschrijf. Zo'n beroerd leven is het niet, als je denkt aan alle lol die de Club van Azen heeft, ondanks Stalag 14, ouders, het orang-oetangebeuren, onderhuidse puisten enzovoort.

Ik kon het niet laten om een paar opmerkingen te maken over Slome Lindsay en haar verbijsterende wandelende takkenleven. Ik vond het wel een meesterlijke zet om quasi aardig over haar te schrijven: Je weet vast wel dat Lindsay in de pauzes toezichthoudster is, en daar heeft ze echt talent voor; er zijn al eersteklassers die niet meer in hun eentje naar buiten durven. Verder heeft ze zich met haar interessante extensions naar de voorste linies van het modefront gewerkt. Dat soort heldenmoed zie je tegenwoordig buiten het circus nog maar zelden.

Om het onderwerp jongens heb ik een beetje heen gedraaid. Tussen neus en lippen door heb ik het wel even over de Stiff Dylans gehad, want het was raar geweest om dat niet te doen. Maar ik schreef alleen: Ik ben naar een paar optredens geweest, en ze waren best goed. Ze hebben een nieuwe zanger... eh... ik geloof dat hij Masimo heet of zo. Hij lijkt me wel aardig, maar een tikje verwijfd als je het mij vraagt. Ik kwam Doms Vati tegen en ik geloof dat hij vergeten is dat ik hem toen probeerde te versieren omdat ik dacht dat hij een beroemde platenman was. Over Vati's

gesproken, die dikke van mij heeft zijn baard in de fik gestoken, dus hier is alles nog steeds hetzelfde.

Inmiddels had ik alle remmen losgegooid. Het was een
hele opluchting om alles (nou ja) aan een jongen te kunnen
vertellen, en wat had ik te verliezen? Ik hoefde geen indruk
meer op hem te maken.

00.07 uur Ik wist niet hoe ik moest afsluiten. 'Veel liefs',
kan dat?

'Groeten van je goede vriend' ga ik er in elk geval niet
onder zetten.

Uiteindelijk werd het: Nou, ik ben weg als een razende
kameel met een lachstuip. Het zou leuk zijn om je weer
eens te zien. Hou je haaks. De groeten, Georgia.

Maar toen dacht ik dat dit misschien een beetje te veel
van het goede-vrienden-gebeuren was, dus schreef ik: Liefs,
Georgia.

Dat kan wel.

Het staat niet voor een buitensporig rood achterste. Het
staat voor *je ne sais quoi* met een vleugje melancholie.

00.10 uur Maar hij heeft vast een vriendinnetje dat Gay-
leen heet.

Of Noleen of Joleen.

Die een wombat is.

maandag 4 juli

op weg naar Stalag 14

08.20 uur Ik draag vandaag een rouwband, want dit is
de dag dat het Hamburgse volk alle theezak-
jes in zee smeet omdat ze niet meer door de Engelsen ge-
regeerd wilden worden.

Even later verzonnen ze hun eigen taal, en moet je zien
wat ervan gekomen is.

Cola in emmers.

En ze dragen panty's in plaats van gewoon een onderbroek.

Maar dat moeten ze allemaal zelf weten.

Wij in Billy Shakespeare-land zijn niet haatdragend en zullen altijd van ze blijven houden.

Net zo lang tot ze bij hun positieven komen en de macht weer aan ons overdragen.

08.30 uur Had met Jas voor haar huis afgesproken en ze gaf me meteen een arm, wat ik best aardig vond. Maar dat liet ik niet merken.

Ik zei tegen Jas: 'Niet uit de school klappen.'

Ze keek me aan. 'Niet uit Stalag 14 klappen?'

'NEE, Jas, ik bedoel dat je je mond moet houden over het feest en dat gedoe met Dave Hahaha en dat ik Masimo's "goede vriend" ben.'

'Ik weet wanneer ik moet zwijgen.'

'Nietes.'

08.35 uur Toen we aan het begin van de straat die we in moesten om bij 'school' te komen langs een brievenbus kwamen vroeg ik me af of ik mijn brief aan de SeksGod moest posten. Hmmm. Ik vroeg het aan Jas, wat een grote vergissing was. Ze zei: 'Ik dacht dat je van Masimo of Dave Hahaha hield, en nu schrijf je Robbie weer.'

'Weet ik.'

'Je eet eigenlijk van drie walletjes, alleen zijn ze geen van allen je vriendje.'

'Hou je kop, Jas, je bent het kindeke Jezus niet.'

'Weet ik, ik bedoel alleen maar dat het kindeke Jezus erg teleurgesteld in je zou zijn.'

'Helemaal niet. Hij houdt van me zoals ik ben – en trouwens, dat is altijd nog een stuk interessanter dan hoe jij bent, heilig boompje. Hé Jas, jij bent boomser dan de paus! Ha-

haha, dat vindt Jezus vast een goeie; het is een godsdienst-
annex natuurgrap! Ik geloof dat ik een beetje hysterisch
word. Wat moet ik doen? Help me, klein Jasje, zal ik hem
posten of niet?'

Ze keek me peinzend aan, wat nooit een goed teken is,
en zei: 'Goed, laten we het logisch bekijken. Als we binnen een minuut een witte auto zien doe je hem op de post.
Maar als er een gast met een petje op achter het stuur zit
wacht je tot vanmiddag met posten, en als…'

08.40 uur De beslissing werd me letterlijk uit handen
genomen door een onwaarschijnlijk krankjo-
reme en sikkeneurige postbode die de bus kwam legen. Hij
griste de brief uit mijn vingers en stopte hem in zijn zak. Ik
zei: 'Eh… ik weet nog niet eens of ik hem wel wil posten.'

En hij zei: 'Lazer op, naar school jij.'

Aardig toch? Zoals ik altijd zeg tegen iedereen die het
maar horen wil (niemand dus): de bedoeling van mensen
met een publieke functie is dat ze het publiek dienen, mij
dus. Maar ze snappen het gewoon niet.

14.00 uur Vijfenveertig jaar opsluiting in Stalag 14,
slechts onderbroken door twee korte koek-
jespauzes.

Had ik die brief wel moeten posten?

14.30 uur Wat maakt het eigenlijk uit? Hij komt natuurlijk toch niet aan, of anders heeft Robbie geen zin om antwoord te geven, en dan ben ik door
zo'n beetje elke man op aarde afgewezen.

14.35 uur Nu weet ik het, ik ga me op mijn carrière
concentreren. Ik word gewoon een lesbische
monnik die haar talen spreekt.

| 14.55 uur | Ik zwijg als het spreekwoordelijke graf, ook al vraagt de club aan één stuk door hoe het met de liefde gaat. Toen ik tegen Rosie zei: 'Er is niets gebeurd. Ik heb nada te vertellen,' keek ze me aan als zo'n echte aankijker. Maar ik zwichtte niet.

In de oorlog zou ik het supergoed gedaan hebben in het Franse verzet, als ze de moeite hadden genomen me te vragen.

Wat ze dus niet gedaan hebben.

En zelfs als ik toen geleefd had, had ik geen ja gezegd, vanwege al die Fransozen die de Engelsen een stelletje kaasetende lafbekken noemden.

Of zeiden wij dat juist over de Fransozen?

Ach, weet ik veel, stel niet altijd van die moeilijke vragen.

| 15.00 uur | Ik heb de zaak per ongeluk een beetje overdreven door mijn Franse huiswerk op tijd in te leveren. Ik dacht dat Madame Slack een beroerte zou krijgen, maar helaas. Ze zei alleen maar: 'Van wie heb je dit overgeschreven?'

Wat in deze moeilijke tijden weinig bijdraagt aan de verhouding leerling-leraar.

onderweg naar huis

| 16.30 uur | Voor het eerst in mijn hele schoolcarrière loop ik in mijn eentje naar huis. Ik heb tegen de Azen gezegd dat ik moest rennen omdat ik een afspraak bij de dokter heb, maar dat is niet echt zo, al zou mama me het liefst elk uur van de dag en nacht meeslepen naar dokter Clooney, zodat zij lekker kan gaan zitten zwijmelen. Ik moest er alleen niet aan denken dat Dave Hahaha ook mee zou lopen en dat ik tegenover hem en zijn

vrienden moest doen alsof alles koek en ei was. Ik weet niet precies waarom ik hem niet wil zien. Dat van hem en Emma Jacobs geeft me gewoon een raar gevoel.

En ik ben niet de enige; Ellen ging er bijna van over de rooie. In de pauze begon ze erover dat hij met Emma Jacobs naar huis was gegaan, zo van: 'Hoe... en waarom... waarom???' Ze kreeg een spastische aanval van hier tot Tokio.

Ik moest extreem ijzig doen en tegelijk extreem maniakaal Vikingdiscodansen om de Azen af te leiden van de vraag waarom ik vroeg weg was gegaan en of er iets vervelends was gebeurd en hoe ik me voelde, enz.

Maar het is mijn pijnlijke geheim, dat ik met niemand zal delen. De enige die iets weet is mevrouw Grote Onderbroek.

vijf minuten later

En ik heb tegen Radio Jas gezegd dat ze verplicht is te zwijgen.

een minuut later

Dus de Club van Azen zal inmiddels alles wel weten.

een minuut later

Inclusief hoe vaak ik de afgelopen dagen naar de wc ben geweest.

vijf minuten later

Verderop zag ik die twee piepertjes uit de eerste hinkelen. Ik bedoel die twee die door Slome Lindsay te grazen waren genomen, en ze hinkelden echt. Hinkelde ik ook toen ik zo oud was? Dat zal toch wel niet? Ze maakten een uit-

geputte indruk, hinkelend op één been met die zware rugzak op hun rug. Het kwam wel eens voor dat ik onderweg
naar huis deed alsof ik op een paard zat, maar nooit met een
zware tas op mijn rug.

Het leven is een raadsel.

oefencentrum voor lesbische monniken, alias mijn slaapkamer
avond

Ik wijd mijn leven voortaan aan het vergaren van kennis...
zzzzzzzz.

MACPANTY

pauze

De Club van Azen is gelukkig overgegaan op interessante-
re onderwerpen dan mijn leven. Ze stortten zich enthousiast op de Vikingtrouwerij van Rosie en Sven. Rosie zei:
'Ik heb een idee voor een leuk pak voor Sven. Vrijdag op
de repetitie voor MacWaardeloos zoek ik de materialen bij
elkaar.'
Meer wilde ze niet zeggen, behalve dan dat Sven 'in zijn
sas' zou zijn.
En dat wil eigenlijk niemand meemaken.

| 16.30 uur | Op weg naar huis met kleine Jassie Plassie,

die haar Lady MacWaardeloos-tekst voor
zich uit loopt te mompelen. Ik hoop maar dat ze niet in een
spast aan het veranderen is, of hoe heet dat wanneer iemand
twee personen tegelijk is.
Ik heb een beetje de bibbers omdat ik Dave vrijdag weer
zie. Ik moet die 'gewoon goede vrienden'-onzin oefenen
alsof mijn leven ervan afhangt. En misschien tot ik erbij
neerval. Wat doet een vriend als hij zijn vriend ziet? Wat
doe ik als ik mijn vriendinnen zie?

drie minuten later

Als Jas nu niet meteen ophoudt met dat geouwehoer over
spatten kan ik je wel vertellen wat ik met háár doe.

Helaas zei ik hardop wat ik dacht. 'Jas, als je nu niet met-een ophoudt met dat geouwehoer over spatten, dan ver-moord ik je.'

Jas mompelde nog één keer 'Weg verdoemde spat' en zei toen: 'Je hoeft je niet op mij af te reageren, alleen omdat jij toevallig de Kosmische Kriebels krijgt van elke jongen die langsloopt terwijl zij alleen maar vrienden met je willen zijn.'

vijftien minuten later

Dit is mijn recept voor een opkikkertje: neem een vrien-din, het liefst een met een irritante pony en een boven-maatse onderbroek, laat haar een tijdje zwammen, duw haar dan gauw in een greppel en ren weg.

Hahahaha.

Dolkomisch om te zien hoe Jassie Plassie de sloot in dook.

Hahahaha.

vrijdag 8 juli

hoofdkwartier van de MacWaardeloosjes

| 16.50 uur | Generale repetitie voor de hele school om 17.30 uur.

De spanning stijgt. Doek op en toi toi toi en...

zzzzzzzzzz

Mevrouw Wilson trakteerde ons op haar wereldberoem-de peptalk, maar we wisten onze ogen open te houden. Het schijnt dat de eer van de school op onze schouders rust. Twee avonden lang lopen we in maillot 'voorwaar, voor-waar' te roepen, en dat moet mensen ervan overtuigen dat school geen complete tijdverspilling is. En geen bezig-heidstherapie voor lui die niets beters te doen hebben, bijv. Arendsoog, Smal, Madame Slack, Herr Kamyer en de dodelijk gestoorde Elvis Attwood, die anders de straat op zouden gaan om mensen lastig te vallen.

Gelukkig heeft mevrouw Wilson het roer stevig in handen, dus als het goed is loopt alles compleet in de soep.

Jas loerde naar me als die indiaanse gast in die film over de Mohikanen – Chingachgook. Die sloop rond met veren op zijn hoofd, volgde bizonpoep en loerde ook zo naar mensen. Jas heeft al twee dagen niet tegen me gepraat, vanwege dat ongelukje met die greppel. Maar toen Dave Hahaha en zijn vrienden binnenkwamen keek ze me echt met van die enge priemende oogjes aan.

| 17.00 uur | Ik bleef op veilige afstand van Dave Hahaha, maar niet zo dat hij het kon merken, want dan zou hij misschien denken dat ik hem uit de weg ging. Ik bleef dicht in de buurt van Roro en Juul en de Club van Azen. Misselijke P. Green kwam steeds naar me toe om zich gerust te laten stellen en me te vragen of mijn zwaard goed zat. Ze denkt echt dat ik haar man ben, wat waarschijnlijk het ergste is wat me ooit is overkomen. En dat is dus HEEL ERG.

Maar goed, niemand kan beweren dat ik niet tegen een stootje kan. En geloof me, ik heb de laatste tijd HEEL ERG veel stootjes gehad. Ik hoop dat mijn hoofd binnenkort ophoudt met HEEL ERG zeggen. En dat meen ik HEEL ERG.

Nog maar een half uur en dan gaat het doek op. Al heb ik met Puisterige Norman als 'hoofd doek' goede hoop dat dit stuk het daglicht letterlijk nooit zal aanschouwen.

Ik was met Roro druk bezig met schminken tot mevrouw Stamp (En wat heeft dit stuk met haar te maken? Zit er een scène in over lesbische sport? Misschien wel eigenlijk, want ik ben mooi niet zo gek geweest om het hele stuk te lezen, ik ken alleen hier en daar een scène.) binnenkwam en het nephaar voor haar rekening nam. Rosie moest haar snor afdoen, en dat terwijl dat ding eigenlijk een eerbetoon aan mevrouw Stamp was.

Ik was me met Rosie aan het warmlopen, d.w.z. hoorn naar rechts, hoorn naar links, toen Dave Hahaha langsliep met een stuk kasteelmuur. Gelukkig had ik een meter make-up op, dus hij kon niet zien dat ik knalrood werd. Toen hij vlak in de buurt was barstte ik spontaan in lachen uit omdat Juul me haar heksenbezem aangaf. Dave keek me aan. Juul keek me aan. Niet zo gek, want ze had gewoon gezegd: 'Wil je deze even vasthouden, ik moet naar de plee.'

Niet bepaald grappig.

Maar ik wilde Dave laten merken dat er niets met me aan de hand was en dat ik me niet druk maakte over die zoenus interruptus op het feestje van Katie. En ook dat het me geen ene moerenbout kon schelen met wie of wat hij naar huis liep.

Ellen speelde op haar manier de kouwe kikker. Het was om te gillen. Ze zei tegen mij: 'Ik zal Dave eens vertellen wat ik van zijn gedrag vind. Ik bedoel, ik doe het gewoon. Dat moet toch wel, of niet? Ik bedoel, vind jij dat ik dat moet doen? Want volgens mij moet je dat doen – je moet… oké, wat vind jij?'

O lieve god.

Ze had zich de moeite kunnen besparen, want haar kouwe-kikkerdom duurde nog geen twee minuten. Dave kwam met allemaal takken aan zijn lijf voorbij en zei: 'Vinden jullie mijn acteerwerk niet een beetje houterig, meisjes?' Ellen werd vuurrood en begon als een gek te giechelen. Niet wat ik noem het toppunt van kouwe-kikkerachtigheid.

Moi daarentegen deed het uitstekend. Ik glimlachte zo'n beetje op een manier die zei dat ik best gevoel voor humor had, maar dat ik niet het soort meisje was dat erg geïnteresseerd was in de fratsen van Dave Hahaha.

| 17.50 uur | Jas rende langs in haar jurk om mevrouw MacWaardeloos uit te gaan hangen. Ik schonk haar mijn aantrekkelijke lach, maar ze *ignorez-vous*-de me. Ze draait wel weer bij; welke andere gek gaat er

naar haar gezwam over woelmuizen zitten luisteren? Ik hoef voorlopig nog niet op, dus Rosie en ik doken nog even in de rekwisietenkist. Woeha.

Rosie haalde er een valse neus uit en zei: 'Als ik deze nou opzet voor een soortement extra-neuseffect, zouden ze dat dan merken, denk je?'

Ik dacht terug aan die goeie ouwe tijd van vorig jaar. Toen het leven nog eenvoudig was. Ik hield van de Seks-God en was zijn bijna-vriendin. We voerden *Peter Pan* op, en net als nu liepen er allerlei mafkezen rond in een maillot. (Alleen Misselijke P. Green niet, want die speelde voor hond.) Rosie en ik waren uit het stuk gezet en moesten de rekwisieten doen. We hadden allemaal nephaar gevonden, en telkens wanneer we Slome Lindsay op het toneel een zwaard of iets anders moesten aangeven plakten we een beetje meer haar op ons lijf. Aan het eind van de voorstelling hadden we grote harige klauwen en Rosie had één enorme wenkbrauw en bakkebaarden. Gillend van het lachen vertrokken we naar het straflokaal. Mooie tijden, toen ik nog geen ouwe vrijster was.

Op dat moment zei Roro op haar kop in de rekwisietenkist: 'Ik verstop dit haar op mijn lijf en smokkel het mee voor de Vikingbruiloft.'

Onder deze omstandigheden (d.w.z. met een Rosie die zo gek is als een deur) heeft het geen zin om vragen te stellen.

20.30 uur   Er waren debielen bij die gingen klappen toen het afgelopen was. Bij mij ging er één klein dingetje fout, maar volgens mij zag niemand het.

op weg naar huis met de club

21.10 uur   Jas blijft dwarsliggen en loopt zo ver mogelijk bij mij vandaan. En ze gaf iedereen behalve mij een wijngummetje uit haar geheime voorraad. Ik

147

vind het niet erg, want volgens mij bewaart ze ze in haar enorme onderbroek.

Een eindje achter ons zagen we Dave Hahaha en zijn vriendjes lopen. *Donner und Blitzen*. Ik zou ze negeren tot ik een ons woog.

Ik zei: 'Mijn valse baard raakte los toen ik aan het zwaardvechten was, dus moest ik met één hand verder terwijl ik met de andere hand onopvallend mijn baard vasthield. Is dat jullie opgevallen?'

En Roro zei: 'Ja, wie niet? Je zag eruit als Malle Macduff, de grootste nicht van heel Schotland.'

Mooi.

Maar niet heus.

21.15 uur

Dave en zijn vriendjes zijn komisch aan het snelwandelen om ons in te halen. Nog even en ze zijn er. O, ik kan dat vriendengedoe niet meer aan! Ik zei tegen de club: 'Ik heb zin om een eindje te hollen, dus ik ga maar vast vooruit. Zie jullie morgenavond bij het Schotse fiasco.'

Ze keken stomverbaasd toen ik begon te joggen. Na een minuutje joggen keek ik om en bleek dat Dave Hahaha ook aan het joggen was. O neeeee. Ik zette een tandje bij, maar hij haalde me in en bleef zonder iets te zeggen naast me lopen. Hij keek in de richting van mijn boezempjes en ik had mijn extra stevige over-de-schouder-noengahouder niet aan. Shit shit en nog eens shit.

nog steeds aan het joggen
twee minuten later

Dit sloeg nergens op. Terwijl we naast elkaar aan het joggen waren stak Dave zijn arm door de mijne, zodat we tandemjoggers werden. Uiteindelijk werd het gewicht van mijn noenga's me te veel en ging ik gewoon lopen.

Dave zei: 'Ben je boos op me, Kittekat?'

Ik draaide me naar hem om en lachte onder het hijgen stralend naar hem. 'Dave, waarom zou ik in vredesnaam boos op je zijn?'

Hij keek me aan. 'Je bent dus boos op me.'

Shit.

Hij ging verder: 'Je wilt niets met me, dat zeg je zelf, dus ga ik nu met iemand anders. Dat geeft toch niet? Of wil je graag dat ik de rest van mijn leven alleen blijf, voor het geval jij zin krijgt om even met me te zoenen?'

Toen hij dat zo zei dacht ik eigenlijk: *Jep, dat is precies wat ik wil.* Maar het leek me niet helemaal normaal om dat hardop te zeggen.

Ik probeerde iets te verzinnen wat wél normaal was om hardop te zeggen, waar ik eerlijk gezegd nooit goed in getraind ben – wat mijn ouders uitkramen heeft namelijk helemaal niets met normaal te maken. Maar goed, terwijl ik mijn hersenen afzocht naar iets min of meer normaals om te zeggen, ging mijn brein even op vakantie naar Kriebelrijk. Ik dacht aan Dave's krullende wimpers en zijn mondhoeken die zo grappig omlaag gaan en... En toen gaf hij me snel een kus op mijn wang en rende terug naar zijn vrienden.

Balen.

00.00 uur Zie hier mijn fantastische avond: mijn baard liet los en Dave Hahaha zag mijn ongeremde noenga's.

En hij heeft dus echt iets met Emma.

Niet dat mij dat (veel) kan schelen.

tien minuten later

Ik heb besloten mijn gevoelens uit te drukken in kunst. Morgenavond geef ik de voorstelling van mijn leven. Mijn rol bestaat vooral uit grienen en knokken, en God weet dat ik daar genoeg ervaring mee heb.

Ik zal Dave laten zien dat ik net zo volwassen en wereldwijs kan zijn als iedere andere gek.

zaterdag 9 juli

Ik heb nog geprobeerd ze een verkeerde datum door te geven, maar mijn Mutti en Vati, grootvati en Maisie komen vanavond allemaal kijken.

19.00 uur Mijn baard zit met vier liter lijm vast. Straks krijg ik hem nooit meer af en kan ik na de voorstelling meteen door naar het lesbische klooster.

19.05 uur Achter het toneel heerst complete chaos. Jas loopt rond met een bloederige dolk en mompelt haar tekst voor zich uit. Zenuwslopend tot en met. Ik hoorde haar zeggen: 'Ontvrouw mij thans, en giet mij boordevol, van kruin tot tenen, met ijselijke wreedheid... Is het een dolk wat ik daar voor me zie?'
En toen begon ze er manisch mee te steken.
Als de krankzinnige die ze nu eenmaal is.
Niet vergeten nooit ruzie met haar te maken terwijl ze een broodje staat te smeren.
Niet dat ik de kans krijg om ruzie met haar te maken, want ze *ignorez-vous*t me nog steeds.

19.30 uur Het doek gaat op, gek genoeg. Ik kan door een kier in het decor kijken en de zaal zit bomvol. Nee zeg, wat fijn. Mijn 'familie' zit op de voorste rij.

banketscène

20.30 uur Het gaat helemaal niet slecht.
Behalve dan dat Dave een potje maakt van de geluidseffecten. De banketscène, die had moeten begin-

150

nen met doedelzakmuziek, begon nu met het gekras van zeemeeuwen. Wat het publiek best een beetje vreemd zal hebben gevonden.

Maar toen, nadat Jas en haar 'gemaal' Tom Stevens (beter bekend als MacWaardeloos, de Thaan van Cawdor), even rond gebanjerd hadden met hun bijna-dode gasten, begon het geïmproviseerde vermaak. God weet dat we allemaal geprobeerd hebben om mevrouw Wilson van het jongleren en vuurspuwen af te brengen, maar luisterde ze naar ons? Nee. Melanie ging woest aan de slag met de sinaasappels, die ze in de lucht gooide en liet vallen enzovoort. Ze werd nog zenuwachtiger door een stelletje glurende gluurders (de jongens van Foxwood), die in de coulissen stonden te wachten tot ze per ongeluk met haar noenganoenga's zou gaan jongleren. De sinaasappels vlogen je dus letterlijk om de oren. En ik hoorde mijn opa duidelijk zeggen: 'Wat een grote meid.'

Maar het *pièce* de dinges was wel Ellen als vuurvreter. Iedereen die het verstandig vindt om zo'n sufkous als Ellen met vuur te laten spelen hoort eerlijk gezegd opgesloten te worden. Hoe dan ook, Ellen had een speciaal soort papier; dat steek je aan en dan gaat het van woesj en lijkt het net of je je handen in de hens hebt gestoken. Maar dat is dus niet zo. Je woesjt gewoon wat met dat vuur in het rond (of met je fikkende handen, zoals het publiek denkt) en na een tijdje brandt het papier op en verdwijnt het gewoon en is er niets aan de hand. Dat is de theorie. En gisteravond was het woesjen helemaal goed gegaan.

Ere wie ere toekomt, Ellen stak het papier aan en woesjte een tijdje zonder problemen ende ongelukken. Maar toen woesjte ze te dicht bij Puisterige Norman met zijn valse baard, en de rest is geschiedenis. Puisterige Norman was zelf ook bijna geschiedenis. Met zijn baard in lichterlaaie kwam Norm met een noodvaart aan de zijkant van het toneel af. Dit was Elvis Attwoods grote moment. Als meneer Mafkees de brandweerman verscheen hij met zijn brandblusser, en hij gaf Puisterige Norman en Misselijke P. Green, die toevallig naast hem stond, de volle laag. De baard was geblust, maar Norman en P. Green blunderden nog vijf minuten als een stelletje blinde kippen overal tegenaan.

Errug grappig.

21.30 uur — We waren bij het grote gevecht aangekomen, als het woud van Birnam naar kasteel Dunsinan komt. We waren allemaal verkleed als boom enz., en zoals ik tegen Rosie zei: 'O victorie, het gaat goed, lieverd.'

En dat was ook zo, totdat Dave Hahaha, techneut en stomkop, toesloeg.

Ik dacht echt even dat mevrouw Wilson gek werd en per helikopter naar een gesloten instelling zou moeten worden afgevoerd. Ze ging compleet uit haar dak toen Dave (de lichtman) alles, niet alleen het toneel, maar ook alles eromheen, in pikzwart duister hulde.

Het grootste deel van het bos viel van het podium. Ik stond naast het toneel toen hij het deed en in het pikkedonker voelde ik een hand op mijn kont. HÉ!!!

Ik weet zeker dat het Dave was, maar toen het licht weer aanging keek hij heel verbaasd en ging hij van 'Wat? Wat?' Hij zei dat hij per ongeluk tegen de schakelaar aan 'gevallen' was.

Het publiek klapte voor de bosjesmensen die in het publiek gedonderd waren! Ze dachten dat het een moderne interpretatie was, wat weer eens aantoont hoe stom ouders zijn.

21.45 uur — Ik was fantastico als Macduff, al zeg ik het zelf. Ik griende zowaar echte tranen, maar dat was eigenlijk niet zo moeilijk, met mijn leven. Toen ik het toneel afkwam keek ik gauw even naar het publiek, en zelfs Arendsoog zag er een beetje betraand uit. Dave Hahaha gaf me een knuffel en zei: 'Goed werk, Kittekat. Je bent een actrice van de bovenste plank en je noenga's staan er heel pront bij in dat pakje.'

Ooooo, wat is hij toch een etterbak.

21.55 uur

We kregen een staande ovatie. Tenminste, voor zover het publiek overeind kon komen. Ik zag dat grootvati pas stond toen de rest alweer ging zitten.

22.20 uur

Hoera!!! Smal heeft een wapenstilstand afgekondigd vanwege onze supervette voorstelling. Ze heeft mij en de Club van Azen onze hoorns teruggegeven!!!

Om het te vieren deden we een klein Vikingdisco-infernodansje, maar volgens mij snapte ze het niet. Ze liep lillend weg om met de bejaarde gekken te gaan praten.

Meneer Attwood keek alsof hij een medaille verwachtte voor zijn brandweermannenactie. Hij zei tegen wie het maar horen wilde: 'Ja, gelukkig heb ik geoefend op situaties als deze. Ik heb een pop in mijn schuur die ik regelmatig in brand steek, en mijn blustijd bedraagt nog maar tien seconden.'

Allemachtig, wat leidt hij toch een fantastisch leven.

Ik zeg nou wel dat we een klein Vikingdisco-infernodansje deden, maar Jas deed niet mee. Ze is nog steeds aan het pruilen. Ik hoorde haar tegen Juul zeggen dat ze uitgeput was van alle emotie die ze in haar rol had gelegd. Ik zou niet weten waarom eigenlijk; ze heeft alleen iemand neergestoken en daarna bazelde ze wat over een spat. Ze ging ook eerder naar huis dan wij, knus samen met haar vriendje. Ze leunde tegen hem aan alsof ze een verlamde elf was. Zielig gewoon. Ze zei iedereen gedag, alleen mij niet.

Ze kan me toch niet eeuwig blijven negeren.

| 22.45 uur | Ik weigerde om bij mijn ouders in de bat-
mobiel te stappen. Vati zei: 'Wil je niet door
de nacht scheuren in mijn liefdeswagentje?'

Getsie, jemig. En hij zei het waar iedereen bij was. En hij
heeft een T-shirt en een strakke spijkerbroek aan. Bestaat
er een boek dat *Hoe gedraag ik me zo debiel mogelijk* heet,
want als het bestaat, dan heeft hij het.

Grootvati moest en zou zijn kunstgebit aan de club laten
zien voor we hem de bus in kregen, samen met zijn bijna
helemaal gebreide vriendinnetje. Zelfs haar tasje is gebreid.
En haar portemonnee.

| 00.00 uur | Toen ik thuiskwam had Mutti een speciaal
hapje voor me gemaakt en Libby had mijn
bed versierd. Nou ja, ik bedoel dat ze haar elfenpakje aan
had en glitters over al haar 'vwiendjes' had gestrooid. En
dan bedoel ik ook al haar vwiendjes: duikbarbie, Karel het
Paard, het hoofd van haar lappenpop (alles wat nog van haar
over is, sinds Schele Simon in een hysterische bui haar armen eraf gerukt heeft), plus verschillende soorten groente.
Ze lagen met z'n allen in mijn bed supergriezelig op me te
wachten. Vooral omdat het licht uit was en ik pas zag dat
ze er waren toen ik het aandeed. Libby gilde: 'Ajjoooo,
Rooie, VERRASSING!!!'

Zeg dat wel. Zelfs Simon en Tijger en Naomi waren er,
in een boodschappentas gebonden zodat ze niet konden ontsnappen.

Probeer maar eens je pyjama aan te trekken terwijl er een
gevleugelde peuter aan je been hangt.

Dat is niet makkelijk.

Maar wat is er nou wel makkelijk?

| 13.30 uur | Ik zeg maar één ding: ga nooit naar het park met een peuter om je middel.

Libby laat me niet met rust.

| 14.00 uur | Uiteindelijk klom ik weer in mijn privé-boom, alleen om aan haar te ontsnappen. Ik lijd aan post-voorstellingsmoeheid. Als ik mijn billen nou eens tussen twee takken wurm kan ik misschien even tukken.

Vergeet het maar. De poezenbeesten zijn aan het klooien in de dennenboom van meneer Van Hiernaast en renden met vier poten tegelijk de stam op en af. Ik schreeuwde naar ze: 'Hé, jullie daar, kom verdorie die boom uit!' En ik gooide dingen naar ze.

Het werkte nog ook. Ze hielden allebei op en gingen op een tak gapend naar me liggen kijken. Ze likten wat aan elkaars gat en gingen toen weer verder met rennen.

Op dat moment hoorde ik in de verte een scooter aankomen. Hij was het – Masimo op zijn scooter! En hij kwam mijn kant op! Wauw!! Zou hij van mijn voortreffelijke Macduff-vertolking gehoord hebben? Houjekophoujekop.

O god, hoe kom ik nu die boom uit zonder dat hij het ziet? Volgens mij zit mijn kont vast. Uit de kunst. En ik heb geen lippenstift op. O *merde, merde, merde, merde*! Wat moet ik doen?

Misschien is het gewoon een bezoekje van een goede vriend?

En toen reed Masimo zonder te stoppen onder mijn boom door.

Maar natuurlijk.

Zo is mijn leven.

| 14.30 uur | O, wat een heerlijke dag. Echt, echt heerlijk, in alle opzichten. Ik lig weer op de pijnbank

155

van de liefde baggerbroodjes te eten – met mijn kont klem
in een boom.

vier minuten later

Ik heb mezelf ontklemd, maar ik geloof dat mijn billen ge-
kneusd zijn.

op een heel rare manier op weg naar de voordeur

Om mijn geluk compleet te maken zitten de poezenbeesten écht klem in de boom van hiernaast. Helemaal boven-
in. Rillend en mauwend zwaaien ze gevaarlijk heen en weer
op de bovenste takken.
    Ik rende het huis in en smeekte mijn Vati om iets te doen.
Ik zei: 'Straks vallen ze dood.'
    En hij zei: 'Mooi.'

18.00 uur   Eindelijk werd de brandweer gebeld. Je hebt
nog nooit zoiets gênants gezien als mijn moe-
der. Ze begon bijna te kwijlen toen de 'jongens', zoals zij
ze noemt, hun ladder uitschoven. Ze giechelde en zei allerlei achterlijke dingen, zoals: 'O, jullie hebben vast hele
sterke armen dat jullie die grote slangen vast kunnen houden.' Ik keek haar aan, maar ze negeerde me.
    Aan het eind belde ze per ongeluk haar aerobicvriendin-
nen, die ook allemaal naar de 'jongens' kwamen kijken, gie-
chelend als een stelletje giechelende Gerda's. Zoooo be-
schamend.

18.25 uur   Brandweerman 'Ben', mama's nieuwe vriendje, klom de ladder op om de poezenbeesten
in veiligheid te brengen. Hij leunde opzij om ze met een
soortement net te pakken, en toen hij vlak bij ze was hielden Tijger en Simon pardoes op met rillen en mauwen. Ze
klauterden vrolijk uit de boom en verdwenen in de bosjes.

Niet te geloven.
Ze zijn de duivel in de vorm van een haarbal.
Ze nemen de brandweer gewoon in de maling.

maandag 11 juli

Jas was al naar Stalag 14 toen ik bij haar huis aankwam.

dagopening

En ze stond aan de andere kant van de Club van Azen, niet op haar gewone plek naast mij.
Hoelang houdt ze dit nog vol?
Dit is marathon-_ignorez-vous_en.

Frans

Ik kroop heel dicht naar haar toe, maar ze schoof haar stoel steeds verder bij me vandaan, tot ze zowat bij Ellen op schoot zat.

gym

Ik zei tegen haar: 'Wat zit je haar leuk, Jas.'
Maar eigenlijk had ze nog steeds de bokkenpruik op.

hoofdkwartier van de Club van Azen

De club wil al de hele dag dat ik lach, want dan lacht de wereld zogenaamd met je mee. Ze willen zaterdag naar de Stiff Dylans en zeggen dat ze zonder mij niet kunnen gaan, omdat het dan niet één voor allen en allen voor één is. Bovendien oefent Rosie tijdens het optreden haar Vikingbruiloft. Ze gaat zich helemaal mooi maken en is van plan de Vikingbizondans uit te proberen. Ze heeft de confetti, maar helaas geen vaten.

Ze probeerden me om te kopen met kaasdingesjes, wat ik nogal zielig vond.

Als ik 'ze' zeg, dan bedoel ik niet Jas, die nog steeds doet alsof ik niet besta. Dit is een wereldrecord voor haar. Vier dagen. Ik zei tegen haar: 'Jas, ban je me nu voor altijd uit je leven?'

Ze zei niets terug.

Rosie ging van: 'Kom op, Georgie, ga nou alsjeblieft mee, ik dubbelsmeek je met een rietje. Verpest alsjeblieft mijn grote dag niet. Je trouwt maar één keer in je leven met een gestoorde Viking. En trouwens, wat wou je anders doen? In je eentje gaan zitten huilen zeker.'

Juul zei: 'Misschien komen er best coole gasten.'

Ik zei: 'Ja dag, Masimo wil natuurlijk weer "goede vrienden" met me zijn en Dave Hahaha komt met dat stomme Emmageval en...'

O help. Ellen begon te zeggen: 'Hoe bedoel je, Dave Hahaha komt met Emma? Wat maakt jou dat... eh... eigenlijk uit? Ik bedoel, heeft... eh...'

En toen zei Jas: 'Ja, waarom zeg je dat van Dave Hahaha?'

Ik liet me op mijn knieën vallen. 'Ze praat, het is een wonder, ze kan praten!!! De goede God heeft haar haar spraakvermogen teruggegeven.'

Hahahahaha. Ze kon niet meer terug; ze had me iets gevraagd. Ze had haar gelofte van negering gebroken. Ik had gewonnen!!! (En Ellen afgeleid van het Dave Hahaha-gebeuren.)

Maar mijn overwinning maakte me ook dinges... grootmoedig. 'Ik hou van je, Jassie, en het spijt me van die greppel. Maar je deed ook wel errug irritant, klein vriendinnetje van me.'

Ze sputterde nog wat na, maar ze was het zat om niet tegen me te praten.

Ik heb gezegd dat ik misschien wel meega naar de Stiff Dylans. Maar dan moet de Club van Azen wel als kleine waakhondjes op me passen. Ik zei: 'Als jullie me alleen laten om ergens te gaan zoenen, dan zeg ik mijn lidmaatschap van de Club van Azen op.'

Rosie zei: 'Het wordt een te gekke avond. We zetten onze pas heroverde hoorns op en bewijzen de wereld dat romantiek niet dood is.'

Ik zei: 'Eh… ik denk dat we de hoorns beter thuis kunnen laten. Ik bedoel, die bewaren we wel voor als we onder elkaar zijn en…'

Rosie zei: 'Ben je niet trots op je hoorns?'

'Ja, natuurlijk wel, maar…'

Rosie bracht haar gezicht heel dicht bij het mijne. 'VI-KINGZZZZZZZZZZZZZZ!!'

Lieve hemel.

We zwoeren plechtig de Azen-eed en deden een snel Vikingdisco-infernodansje – met hoorns. Dat snuffelen van Jas hebben we er nu officieel aan toegevoegd. Jas keek er heel blij bij.

Toen we door onze knieën zakten voor een laatste 'VI-KINGZZZZ!!!' kwam Slome Lindsay er net aan. Haar extensions groeien uit. Hmm, aantrekkelijk zeg. In de omgekeerde wereld. Ze keek naar ons, wij keken op. Haar benen worden steeds magerder, ik zweer het. Misschien volgt ze een beenreductiedieet.

Ze zei: 'Opstaan, stelletje gekken. Jullie zijn stuk voor stuk een schande voor de school.'

Dat is nog eens aardig gezegd, hè?

Ze bleef kijken toen we langs haar liepen. Ik was de laatste en ze zei heel zachtjes tegen me: 'Denk maar niet dat ik je niet doorheb. Je bent gewoon een suffe troela.'

Krijg nou het heen en weer, ze bedoelt inderdaad mij!!!

Briefje geschreven aan Roro: *Wat als Slome Lindsay nog steeds met Masimo gaat? En dat zou best kunnen, want ze heeft totaal geen trots. Wat als hij na het optreden naar haar toe gaat? Dat trek ik echt niet.*

Roro schreef terug: *Eén voor allen en allen voor één. We bedenken wel een tactiek als ze inderdaad iets hebben, maar dat is niet zo. Hij zei dat hij geen serieuze relatie wilde. En trouwens – Vikingzzzz!!!*

Waar heeft dat mens het over?

Moet ik nou gaan of niet?

op weg naar huis

Jas en ik zijn weer beste maatjes. Jas zwamde wat over de verborgen diepten die ze als Lady MacWaardeloos in zichzelf had gevonden en Rosie oefende met boeren laten toen we een stukje verderop die piepers uit de eerste zagen hinkelen.

Toen we ze hadden ingehaald vroeg ik aan een van de twee: 'Wat doen jullie?'

Ze hijgde en was knalrood, maar ze antwoordde: 'Eh… we hinkelen, mevrouw.'

Mevrouw?

Ik zei: 'Dat zie ik ook wel, maar waarom?'

En ze zei: 'Weet ik niet.'

Kan het nog gekker?

Rosie bekeek ze aandachtig. 'Zouden ze familie zijn van Sven?'

woensdag 13 juli

Weet nog steeds niet of ik naar het optreden ga of niet.

Ik ben blij dat Jas en ik weer vriendjes zijn. Ze gaf me twee wijngummetjes en een jamkoekje, en ik moet toege-

ven dat dat best aardig van haar was. Al is ze nog zo bloedirritant, ik hou echt van haar, maar niet, je weet wel, op de
lesbische manier.

| 16.10 uur | Alleen op weg naar huis. Wat niet vaak voor-
komt. Jas is met Tom op foerage uit en de
rest is de stad in om make-up in te slaan. Ik was er om een
of andere reden niet voor in de stemming. Dave en zijn
vriendjes zijn ook al nergens te bekennen.

Mijn naam is Georgia Zondervriend.

Ach ja, dat is de harde waarheid van het leven in een bakkerij van pij... Zie ik daar die ukkies hinkelen?

Dat zal toch wel niet?

een minuut later

Ja hoor. Ze hinkelen als dwazen het park in.

een minuut later

En daar hebben we Mark Grote Bakkes en de Johnny's. Wat
moeten die hinkeltjes met die gasten? Ik mag hopen dat ze
geen zoenlessen van ze krijgen. Jasses met een rietje. Als
Mark Grote Bakkes die meisjes zoent verzwelgt hij ze le-
vend. Ik weet dat hij van ukkies houdt, maar dit is niet leuk
meer.

Wat is hier aan de hand?

De meisjes, nog steeds op één been, gaven iets aan Mark.

een minuut later

De Johnny's staan te lachen en te roken terwijl de piepers
weghinkelen.

Ik vond de hinkeltjes liggend in het gras achter een struik.
Ik zei: 'Hé, wat zijn jullie aan het doen?'

Een van de twee zei: 'Niets. Gewoon even liggen.'

En de andere pieper zei: 'We zijn moe van het hinkelen.'

Ik zei: 'Dat snap ik. Maar waarom DOEN jullie dat? Zijn
jullie soms niet helemaal goed snik? En wat moeten jullie
met Mark en zijn vriendjes?'

Ze werden roder dan twee rode bieten op een rodebie-
tenveld.

een halfuur later

Het blijkt dat ze gepest worden door Mark en zijn vriendjes. Ze moeten al hun geld afgeven, en als ze geen duiten
hebben moeten ze naar huis hinkelen. En die etters duiken
steeds onverwacht op, zodat de piepers niet weten of ze al
kunnen stoppen met hinkelen.

Wat mankeert die gasten? Hebben ze niets beters te doen?
Ik had nooit gedacht dat ik dit ooit zou zeggen, maar ze
zijn nog erger dan de Domme Tweeling in hun hoogtijda-
gen.

in bed

Ik moet steeds aan die stomme hinkeltjes denken.

00.00 uur	Stel dat het Libbsy was die gedwongen werd om te hinkelen?
00.10 uur	Ja hoor. De jongen die haar ergens toe dwingt moet nog geboren worden.
00.15 uur	Maar die piepers zijn een stelletje jankende watjes.

| 00.30 uur |

O shit, ik moet ze redden.

donderdag 14 juli

In de pauze zocht ik de piepers op en zei: 'Jullie zijn klaar met hinkelen.'

in het park

| 16.30 uur |

Mark Grote Bakkes en de Johnny's stonden op hun hinkelende slachtoffertjes te wachten. De piepers verstopten zich achter een struik terwijl ik met die ranzige types ging praten.

| 17.00 uur |

Toen ze klaar waren met naar mijn noenga's staren zei ik tegen Oscar: 'Oké, kleine viezerik, ik ga tegen je moeder zeggen dat je rookt, en dan ben je een dooie kleine viezerik.'

De andere Johnny's begonnen te grinniken en ik zei tegen ze: 'Als jullie er niet mee kappen vertel ik iedereen dat jullie onder de besmettelijke wratten zitten. Dan wil geen meisje ooit nog met jullie zoenen. Daar kun je donder op zeggen.'

| 17.30 uur |

De piepers liepen tot aan mijn huis achter me aan. Ze zeiden: 'Bedankt, Georgia. Wil je een wijngum, Georgia? Wat is je lievelingskleur? Welke band vind je het best, Georgia?'

Goeie genade.

Ik hoef geen kleine hinkelende vriendinnetjes.

| 19.00 uur |

Weet nog steeds niet of ik naar het optreden moet gaan.

Ik heb het gevoel dat ik in geen jaren gezoend heb.

Weet je hoe dat komt? Doordat ik in geen jaren gezoend heb.

163

De laatste keer was toen met Dave, en dat was een zoe-nus interruptus op Katies feestje. Twee weken geleden.

Wie kan er het best zoenen, Masimo of Dave?

Masimo natuurlijk, want hij is de LiefdesGod. En hij deed aan dat halsneuzen dat ik zo supergaaf vond. Als ik eraan denk worden mijn knieën weer week.

Om van mijn hersenen maar te zwijgen.

19.40 uur   Aan de andere kant, Dave is wel de kniplab-belkoning.

Zouden jongens meisjes ook cijfers geven voor zoenen?

Dat moet ik eens aan Dave vragen.

Nee, beter van niet. Op een of andere manier weet hij altijd wat ik denk en hij zou weten dat ik aan hem dacht.

vrijdag 15 juli

10.00 uur   Toen ik langs het hoofdkwartier van Smal kwam zag ik dat de schoolfoto was opge-hangen. Ik bleef staan om te kijken, want ik wilde weten of je de schoonheidsvlekjes kon zien die de Azen speciaal voor de foto op hun bovenlip getekend hadden.

een minuut later

Ahaha. Jep, je moet wel heel goed kijken, maar daar zijn ze. Hier begint de revolutie!!! Sinds het fiasco met de var-kensneusjes vorig jaar, toen onze dolkomische grap met stukjes eierdoos leidde tot massa-strafwerk en *ordure*, gaan we voor de subtiele aanpak. En de foto hing er en niemand had het gezien!

een minuut later

God, wat een stelletje zielenpieten zijn het toch. Moet je dat sneue vestje van VSM nou zien. En ze staat naast mevrouw Slijmerige Octo, oftewel Slome Lindsay. En toen zag ik... dat Slome Lindsay een Hitlersnorretje op haar bovenlip had!!! Dit was de hand van God op zijn allerleukst.

Ik was zo blij en gelukkig.

Het was een teken – een kosmisch teken!

grote pauze

Ik vertelde dat van de foto aan de club en om het te vieren deden we een Vikingdiscodansje. Rosie zei: 'Laten we gaan kijken.'

En ik zei: 'Nee, we moeten ons onopvallend gedragen. Als we met z'n allen naar die foto gaan staan kijken zien ze ons en dan gaan ze zelf kijken en wijst de beschuldigende vinger naar ons. En dat terwijl we helaas niets gedaan hebben.'

Ellen zei: 'Wie zou het dan wel gedaan hebben?'

Juul zei: 'Wie heeft er de pest aan haar?'

En ik zei: 'Nee Juul, de vraag is: wie heeft er NIET de pest aan haar?'

onderweg naar huis

De hele club heeft gezien dat Slome Lindsay nu officieel een nazi is.

Ik zei: 'Als mevrouw Stamp haar snor ziet is het liefde op het eerste gezicht.'

| 17.00 uur | Toen ik mijn straat in liep zag ik vanuit mijn oogboeken twee hoofdjes achter me aan hobbelen. Het waren de hinkelende piepers. Allemensen, nu was ik al 'vrienden' met een stelletje eersteklassers. Maar ik bleef staan en ze haalden me in. De ene pieper zei: 'Vond je Slome Lindsay's snor leuk?'

Ik keek ze aan en ze straalden van trots.

Ik zei: 'Ja, het was super-de-luxe, maar hoe weten jullie ervan?'

Ze giechelden en zeiden: 'We hebben het voor u gedaan, mevrouw.'

Kanonnen. Ze houden van me en denken dat ik ze gered heb. Ik ben een kruising tussen Superman en Jezus – niet dat Jezus een maillot draagt.

zaterdag 16 juli

| 11.00 uur | Hysterische Jas aan de lijn. 'Georgie! Oooooooo.'

'Wat? Wat?'

'O, het is zo spannend!!!'

'Heb je een nieuwe slakkensoort ontdekt?'

'Nee.'

'Een nieuwe onderbroek die helemaal tot aan je kin komt?'

'Nee... oooo, ik wou dat ik het je kon vertellen.'

'Even kijken of ik het snap, Jas, je belt op om me iets te vertellen wat je me niet kunt vertellen, klopt dat?'

'Jaaaa!!!'

'Bedankt en tot ziens.'

Ik hing op.

Jas aan de lijn
een halve minuut later

'Dan vertel ik je een beetje.'

Ik wachtte. O, wat een spanning. Maar niet heus. Het zal wel weer iets saais over Jas d'r leven zijn. Als ze me vertelt dat Stukkie en zij tegelijk met Rosie en Sven gaan trouwen verlies ik het laatste restje verstand dat ik nog heb. Ze wil natuurlijk een trouwerij in het bos. En dan moeten we als elfen verkleed komen en op takken zitten en...

Jas kwetterde: 'Als je morgen naar het optreden komt staat je een grote verrassing te wachten, zegt Tom.'

Ik zei: 'Hoezo? Gaat het niet door dan?'

'Neeee… ooo, ik wou dat ik het kon zeggen, maar ik heb het beloofd. O, het is zo… nou ja, in elk geval, nu moet je wel komen. Kom je alsjeblieft? Kom alsjeblieft.'

'Zeg: "Wil je alsjeblieft komen, ik hou van je, je bent mijn beste vriendin."'

Er viel een stilte. Ik zei: 'Wil je soms niet dat ik kom?'

Ze zei: 'Eh, oké… Wil je alsjeblieft komen, ik hou van je, je bent mijn beste vriendin.'

Ik zei: 'Ik zal erover denken. Doei.'

Yesssssss!!! Ik win hahahaha. Jassie Plassie moest zeggen dat ze van me hield. Tiehie.

Nu ga ik dus echt niet.

15.00 uur Ik heb besloten wel naar het optreden te gaan. Voor een deel om het huis uit te kunnen, want grootvati komt vanavond. En ik ben best benieuwd wat Tom te zeggen heeft. Ik bedoel, als het alleen Jas was die zei dat ik moest gaan zou ik er niet helemaal gerust op zijn, want zij verstaat iets heel anders onder 'spannend' en 'leuk' dan ik. Maar Tom is eigenlijk best goed snik, voor een jongen.

16.00 uur Waar zou het over gaan? Zou hij Masimo gesproken hebben? Hij heeft wel gezegd dat hij zou proberen dingen voor me te weten te komen. Misschien heeft Masimo gezegd dat dat van die 'goede vrienden' een vergissing was.

17.00 uur Wat moet ik in godsnaam aan?

18.30 uur Grootvati verscheen in zijn 'vrijetijdskleding'. Is het normaal dat tachtigers rondlopen in een Schots geruit pak? Met bijpassende pet? En rouge?

Ik ging naar beneden om gedag te zeggen, ook al heb ik het razend druk met mijn outfit voor vanavond. Hij zat in de woonkamer en liet Libby paardje rijden op zijn knie. Ik zwaaide naar hem en hij zwaaide lachend terug. Hij heeft zijn gebit niet in. Ik zei tegen mam: 'Mam, mijn geachte grootvader heeft make-up op.'

Ze draaide haar ogen naar het plafond en zei: 'Breek me de bek niet open. Ze zeggen wel dat vrouwen raar gaan doen als ze ouder worden, maar die zijn heiligen vergeleken bij mannen. Hij zegt dat hij gaat waterskiën.'

Ik zeg: 'Trekt hij dan ook zo'n rubberpak aan?'

Ze zei: 'Ik ben bang van wel.'

Nondeju.

Nadat grootvati me de gebruikelijke tien cent had gegeven om 'iets leuks' van te kopen (zoals wat? Een halve postzegel?) ging ik terug naar mijn boudoir.

Er moet toch een outfit te bedenken zijn die ervoor zorgt dat Masimo geen minuut langer 'goede vrienden' wil zijn?

<hr>

19.00 uur — Eindelijk klaar. Ik heb gekozen voor mijn plooirokje, laarzen en een topje. Ik ging naar beneden in de hoop dat ik zonder een nazi-verhoor door Vati de deur uit zou kunnen glippen, maar helaas kwam ik hem tegen toen hij op weg was naar de keuken voor een nieuwe voorraad snacks. Hij bekeek me van top tot teen. 'Eh... volgens mij ben je vergeten een rokje aan te trekken, Georgia.'

Haha, wat leuk.

Mam kwam met een tegenstribbelende Simon de keuken uit en gooide hem naar buiten en smeet de deur dicht. Hij mauwde als een gek en begon keihard tegen de deur aan te rennen. Mam ging naar de woonkamer en zei: 'Libby, je moet hem niet meer in de ijskast stoppen.'

'Dat vinnie leuk.'

'Ik weet dat hij dat leuk vindt. Hij lag in de boter. Dat is smerig.'

Vati ging vrolijk door over mijn rokje. 'Heb je dit gezien, Connie? Moet je kijken hoe ze de straat op denkt te gaan. Je kunt bijna zien wat ze vanavond gegeten heeft.'

Waar slaat dat nou weer op? Trouwens, dat is een giller zeg: wat ik vanavond gegeten heb. Ik heb vanavond helemaal niets 'gegeten'. Er is hier nooit iets te eten.

Mam zei: 'O, hou op, Bob, dat is de mode. Ze zien er allemaal zo stom uit, niet alleen zij.'

O, dat helpt zeg, uit de mond van iemand die zulke strakke truitjes draagt dat haar noenga's net een stel extra armen zijn. Maar dat zei ik niet, want ik rook mijn kans om te ontsnappen terwijl zij ruzie maakten over mode en zo.

Vati zei: 'O, dus omdat het mode is mag ze er best uitzien als een prostituee? Als leren bikini's in de mode waren liet je je tienerdochter daar zeker ook in naar buiten gaan?'

Mam zei: 'Klets niet zo dom, Bob. Leren bikini's raken nooit in de mode.'

Opa zei: 'Leren bikini's niet in de mode? Zeg dat maar tegen Maisie en de andere meisjes in het bejaardentehuis.'

Dat beeld wil ik niet eens tot me door laten dringen. Een pluspunt is dat pap er zo van schrok dat ik kon ontsnappen.

klokkentoren

Ik was even vergeten hoe zenuwachtig ik was. Ik heb een hartaanval, ik weet het zeker; mijn hart gaat van klopperdeklopperdeklop. Ik moet me vermannen. Dit wordt de ultieme ijzigheidstest.

Jas, Ellen, Mabel en Juul stonden al op me te wachten. We brachten onze speciale Klingon-groet. Jas deed bloedirritant tegen me, met haar 'Ooooo, ik vind het zoooooo spannend.'

Als het ook maar iets te maken heeft met enige vorm van dierlijk leven, dat 'spannende' dat ze zo spannend vindt, zal ik haar stilletjes uit haar lijden moeten verlossen. Een daverende klap voor haar kop moet genoeg zijn.

We begonnen te lopen. Ik vroeg: 'Waar zijn Roro en Sven?'

Mabel zei: 'De bruid en bruidegom belden om te zeggen dat we ze daar wel zouden zien.'

vijftien minuten later

Ik heb het gevoel dat elke stap me dichter bij mijn lot brengt. Ik weet ook helemaal niet wat me te wachten staat. Hij zei dat hij vrienden wilde zijn; einde verhaal. Misschien is er wel iemand anders die ik leuk vind. Het zal allemaal wel.

in het tuthok

Grappig genoeg doet mijn haar voor de verandering eens normaal en is er geen sprake van dikke onderhuidse puisten. Ik heb besloten de jongenslokkers niet op te doen. Eerst was ik van plan Onze Lieve Heer erin te laten lopen. Ik wilde ze niet opdoen omdat ik misschien in een zoensituatie zou belanden, met tragische gevolgen als ze weer bleven plakken. Maar toen bedacht ik dat ik ze juist WEL op moest doen, omdat het dan net leek alsof ik helemaal niet op zoenen rekende, en dan zou God me zielig vinden en bij wijze van verrassing toch voor wat zoenactie zorgen. Maar toen herinnerde ik me dat hij in ons hoofd kan kijken, ook als we op de wc zitten, en dus zou weten dat ik hem erin probeerde te laten lopen. Uiteindelijk komt het er dus op neer dat het allemaal van het humeur van Onze Lieve Heer afhangt. Ik zal eens tegen Zeg-maar-Arnold zeggen dat hij dat in zijn preek moet verwerken, als hij de mensen tenminste de put in wil praten. Als God zin heeft om te straffen dan straft hij er lustig op los, en als hij een vrolijke Frans is maakt het ook niet uit wat ik wel of niet opdoe.

Ik kon mijn jongenslokkers trouwens ook niet recht krijgen, en nadat ik met mijn mascara in mijn oog had geprikt besloot ik het bijltje er verder maar bij neer te gooien.

Maar ik had mooi werk verricht met mijn laagjesmasca-

ra en mijn lippenstift zat goed. Ik had echt zo'n pruimen-
mondje. Ik stond mezelf net glimlachend en vol zelfvertrouwen van opzij te bekijken toen Jas van de plee kwam.
'Waarom doe je een goudvis na? Hengel je soms naar
complimenten? Of probeer je er NATuurlijk uit te zien?!'
En ze liep hinnikend weg. Ze denkt echt dat ze leuk is. Ook
vond ze het nodig om me te omhelzen en 'hrrrrr' te zeggen.
Waarom?

| 20.30 uur | De Stiff Dylans beginnen zo. Ik moet elke twee minuten een plaspauze houden.

| 20.35 uur | De zaal is bomvol. Ik zag Dave Hahaha en zijn vriendjes nergens. Misschien kwamen ze
niet. Geen spoor van het gelukkige paar. Of Slome Lind-
say.
Ik zei tegen Jas: 'O jee, geen spoor van Slome Lindsay.
Ik hoop maar dat ze onderweg niet in een gat gevallen is.
Dat zou tragisch zijn. Maar niet heus.'

| 20.40 uur | Toen zei Ellen: 'O kijk, daar is Dave. Hij ziet er cool uit, hè? Hij... volgens mij is hij al-
leen, zeg maar. Zien jullie Emma ergens? Ik zie Emma niet,
jullie wel? Zien jullie haar?'
Als ze zo doorgaat zet ik haar straks op mijn dodenlijst,
net als Jas.

twee minuten later

Tom kwam binnen. Hij liep de zaal in en zag Jas. Hij stak
zijn duim op en zij ook. Is dat triest en oncool of niet? Ze
hebben elkaar een uur geleden nog gezien. Zielig echt. Maar
best lief om te zien als je een oude vrijster bent. Eigenlijk
zou ik blij voor ze moeten zijn. En dat ben ik ook wel.
Maar als ze me nog één keer knuffelt krijgt ze een lel.

Stiff Dylans begonnen

Mijn maag keerde zich om toen Masimo het podium op kwam. Hij is ook zo jammie. Eerlijk gezegd weet ik niet hoe ik ooit heb kunnen denken dat hij me leuk vond – hij is duidelijk een tien, en zoals Jas me gelukkig hielp herinneren, heb ik voor mijn neus een keer nul punten gekregen. Gemiddeld kreeg ik voor mijn uiterlijk een zesenhalf. Zesenhalven krijgen nooit iets met tienen, dat is de wet van de zoenjungle.

een halfuur later

De Stiff Dylans rule. Ze zijn supervet.

Ik weet dat ik op de pijnbank van de liefde lig en zo, maar de muziek is zo goed dat iedereen uit zijn dak gaat. De Club van Azen doet onze wereldberoemde versie van disco-inferno. Maar dan zonder Rosie en Sven. Waar zouden ze uithangen? Ze zitten vast in de snackbar te zoenen. Ik wou dat ze er waren.

een halfuur later

Nog steeds aan het dansen. Ik toon Masimo mijn *joie de vivre* en *savoir faire*.

Ik heb het bloedheet maar dat kan me niet schelen. Een gezonde blos staat meisjes goed, vind ik.

Jas zei: 'Jemig, je bent knalrood. Je ziet eruit alsof je met je kop in de kokende olie gezeten hebt.'

Heel fijn. Ik sjeesde naar het tuthok om een beetje af te koelen en mezelf op te kalefateren.

in de zaal
vijf minuten later

Dave en Rollo en Tom kwamen erbij en deden mee aan een soort van semi Vikingdisco-inferno. Maar dan zonder hoorns;

Rosie gaat over de hoorns. Dave voegde er wat eigen bewegingen aan toe, al schrok ik wel even toen hij opeens in mijn armen sprong. Ik kon hem een paar seconden houden en toen sprong hij weer op de grond. Hij maakt me wel aan het lachen. We hebben zelfs even arm in arm gediscodanst. Even later liep hij weg en schreeuwde naar me: 'Op naar de plee, en ik spaar de paarden niet!'

Toen we zo voor het podium aan het dansen waren keek Masimo volgens mij bewonderend naar me. Of anders dacht hij: *Mijn nieuwe goede vriend is niet helemaal lekker.*

Maar ik laat me niet kisten.

Masimo lachte wel echt vaak naar me als we elkaar aankeken. Maar ik ben niet zo stom om te denken dat het iets te betekenen heeft. Ik zei tegen Jas: 'Heb je Masimo naar me zien kijken?'

Ze zei: 'Vergeet hem nou maar, hij is oud nieuws.'

Bedankt.

22.45 uur Ik was achteruit aan het dansen toen iemand een heel gemene schop tegen mijn enkel gaf. God gloeiende gotterdegodgod. En au. Ik keek om en daar had je Slome Lindsay en Verbazingwekkend Saaie Monica. Ze waren natuurlijk aan komen slijmen toen ik even niet oplette. Ze stonden mega debiel te dansen met hun andere debiele vriendinnen uit Debielenstad.

Ik zei tegen Lindsay: 'Hé.'

En ze kwam met een griezelige lach op haar gezicht naar me toe en zei: 'O jee, je danste tegen mijn voet.'

En toen zwaaide ze naar Masimo, die irritant genoeg naar haar knikte en glimlachte.

Jas zei: 'Tjonge, wat heeft dat mens de pest aan je. Je bent ten dode opgeschreven.'

Leuk, dank je. Hoera, maandag weer fijn naar Stalag 14 met een sadistische wandelende tak die de pest aan me heeft. Ik mag van geluk spreken als ik met al mijn ledematen intact mijn eindexamen haal.

De Stiff Dylans hebben even pauze.

Ik ben helemaal de kluts kwijt. Hoe moet ik dit nou weer aanpakken? Als Masimo van het podium af komt kan ik hier niet als de eerste de beste stalker blijven rondhangen. Ik weet het al: ik ga met Dave Hahaha kletsen, dat is cool. En het verlost me van Jas en Tom, die ze vanavond niet allemaal op een rijtje hebben. Ze kijken de hele tijd naar me en dan beginnen ze te smoezen en te giechelen als een stelletje opgewonden salamanders. Roro en Sven zijn nog steeds nergens te bekennen.

Ik ging naar de bar, waar ik Dave het laatst gezien had. Hij stond er nog steeds, pratend met zijn vrienden. Perfecto. Ik wilde net op hem af stappen toen Emma opdook. Dave stond met zijn rug naar me toe, dus hij zag me niet, en Emma ging naar hem toe en gaf hem een zoen op zijn wang. En toen sloeg hij waar iedereen bij was zijn armen om haar heen en gaf haar een echte zoen op haar mond. Geen vergissing mogelijk. Niet zomaar een kusje, maar het echte werk, compleet met tongen. Ik werd er misselijk van. Toen hij eindelijk ophield met zoenen legde hij een arm om haar middel en bestelde iets te drinken voor haar. Het was alsof ze echt een stel waren. Ik schrok me te pletter.

Ik draaide me om om naar de plee te gaan en net op dat moment kwam Masimo de kleedkamer uit. Hij zag me en lachte naar me en kwam mijn kant op. O god, wat moet ik doen? Wat zou een goede vriend doen? Hem een klap op zijn schouder geven en de Klingon-groet brengen? Ik weet het niet, ik weet het niet. Ik ben nooit gewoon goede vrienden geweest met een jongen.

Er zat maar één ding op. Ik keek op mijn horloge, trok een verbaasd gezicht, sloeg mezelf voor mijn hoofd als iemand die een afspraak vergeten is en liep op een holletje naar de plee.

Zal ik zeggen waarom ik een verbaasd gezicht trok toen ik op mijn horloge keek? Omdat ik geen horloge heb, daarom.

Trouwens, wie heeft er nou een afspraak op de plee? Een gestoorde gek, is het antwoord.

Een zielige sukkel.

Ik.

Ik ging met mijn hoofd in mijn handen op de wc zitten. Wat kon er erger zijn dan dit?

Jas en Mabel en Ellen kwamen me zoeken. Ik vertelde wat er gebeurd was. Jas zei: 'Ach joh, misschien gebeurt er straks wel iets heel LEUKS.'

Ik zei: 'Ja, en Hitler was misschien wel een hele toffe peer, alleen begrepen de mensen hem niet.'

Mabel zei: 'Eh... er is nog iets wat je moet weten.'

O ja, wat dan? Loop ik de hele avond al met mijn rok in mijn onderbroek?

Ik zei: 'Vertel maar, hoor. Wat kan er nog erger zijn dan wat er nu allemaal gebeurt? Wacht, ik weet het al: Slome Lindsay gaat met Masimo.'

Op dat moment stormde Lindsay het tuthok in, met Monica in haar kielzog. Lindsay had een knalrode kop en keek alsof ze in tranen ging uitbarsten. Achter de wolken schijnt dus toch de zon.

Mispoes. Want ze zei tegen Moneboon: 'Hoe kon Masimo nou zo'n Italiaanse bimbo meenemen? Hoe kon hij?'

Toen ze ons zagen gingen ze helemaal aan de andere kant van de wc's staan.

Ik keek naar Mabel. Ze zei: 'Eh ja, dat was het andere dat we je nog moesten vertellen.'

in de zaal

Ik moest het fiasco met mijn eigen doppen zien. Masimo zat aan een tafeltje naast het podium, heel dicht bij een van de mooiste meisjes die ik ooit gezien had. Dat zeg ik niet omdat ik het zo leuk vind, maar omdat het de waarheid is – ze was echt heel mooi. Ze was misschien wel een tienenhalf.

Het nieuws moest via Radio Jas als een lopend vuurtje zijn rondgegaan, want Ellen kwam eraan en Juul en de hele club. Ik mag niet huilen.

Ellen zei: 'Ik ben even... eh... je weet wel, quasi nonchalant langsgelopen en ze spreken Pizzalands.'

Ik stond als aan de grond genageld en kon mijn ogen niet van ze afhouden. Masimo stak zijn hand naar het meisje uit en streek haar haar uit haar gezicht.

Ik moet naar huis.

Ik keek snel even om me heen, want ik had het gevoel dat iedereen zag wat een stomkop ik was. Ik zag Dave Hahaha met Emma aan de bar zitten. Ze zei iets tegen Rollo en Dave had zijn arm om haar heen. Ik weet niet waarom, maar opeens draaide hij zich om en keek me recht aan. Toen keek hij naar Masimo en het Italiaanse meisje. Hij zei iets tegen Emma en gaf haar een kus op haar wang. Wat heerlijk, nog meer pijn.

Ik moet hier weg. Ik zei tegen Jas: 'Ik ga naar huis, Jas. Ik trek dit niet.'

Ze zei: 'Nee, nee, ga nou niet weg. Eh... misschien gebeurt er zo nog iets best leuks.'

Ik keek haar aan. 'Wat dan, Jas? Gaat de sprinklerinstallatie af?'

Ik had het nog niet gezegd of ik zag hoe Slome Lindsay haar jas pakte en ervandoor ging. Ze stormde langs Masimo's tafeltje, maar hij zag het niet eens; hij zat nog steeds heel ernstig met zijn vriendin te praten. Wat een geweldige avond was dit.

Ik zei tegen de club: 'Goh, ik kan me niet herinneren wanneer ik voor het laatst zo'n lol gehad heb. Ik denk dat het was toen ik met roodvonk naar het ziekenhuis moest. Nu ga ik naar huis.'

Toen ik mijn jas ging halen stond Dave Hahaha opeens voor mijn neus. 'Ach Kittekat, wat moet ik toch met je?'

Ik keek hem aan en de tranen sprongen in mijn ogen. Hij sloeg zijn arm om me heen en ik wilde zo graag dat hij een beetje voor me zou zorgen.

Maar hij had Emma, dus ik raapte mezelf (graai graai) bij elkaar. Hoofd omhoog en borst vooruit. Denk aan je trotse zeevarende voorvaderen en neem een voorbeeld aan de Beul van Avon, Billy Shakespeare zelf, die in tijden van stress altijd zei: 'Ik heb een tante in Marokko en die komt.'

Ik wilde net weglopen toen ik achter me iemand hoorde roepen: 'VIKINGZZZ! Oh *jah*, VIKINGZZZZ!!!'

op de plee

Ik zat ALWEER met mijn hoofd in mijn handen op de plee (ik woon hier bijna) toen ik Rosies hoorns onder de deur door zag komen. Roro zei: 'Waarom rende je net zo hard weg?'

Ik antwoordde: 'Ja, jij bent aan Sven gewend.'

Roro zei: 'Goed gesproken, maar wat heeft dat ermee te maken?'

'Nou, ik schrok van zijn harige korte broek.'

in de zaal

Dave en zijn vrienden stonden Svens korte broek te bewonderen. De korte broek was gemaakt van stukjes nephaar en een oude onderbroek. Svens outfit werd gecompleteerd door de bizonhoorns en harige Doc Martens. En, eh... verder niets!

Rosie droeg een leren rokje en een metallic noengahouder, gemaakt van pannendeksels.

Ik zei tegen haar: 'Waarom heb je één hele grote wenkbrauw?'

En zij zei: 'Dit is een bekende Vikingse trouw-outfit. Zet je hoorns op!'

Terwijl Rosie de hoorns op mijn hoofd kwakte kwam Masimo opeens naar me toe.

Hij keek naar de hoorns en zei na een halve minuut een tikje zenuwachtig: '*Scusi*, Georgia, kan ik je even spreken?'

Top, nu had ik hoorns op mijn hoofd en moest ik vrienden zijn met Masimo die alles over zijn nieuwe vriendin vertelde.

Dave keek me een beetje raar aan (nogal wiedes) en zei: 'Ik ben er als je me nodig hebt.' En hij ging terug naar de bar.

O neeeee, nu moest ik het zelf uitzoeken. Ik had alleen mijn eigen brein om op terug te vallen. God helpe ons voor eens en altijd. O neeee, Masimo was zo leuk. Zijn ogen waren goudbruin en zacht en zwijmelig. Boehoe, geen zwijmelogen, geen zwijmelogen.

En toen bedacht ik dat ik die hoorns nog op had. Ik zette ze af en keek ernaar alsof ik ze voor het eerst zag. Ik zei: 'Goeie genade, hoe komen die daar nou?' en gooide ze op de grond.

Hij zei: 'Kom je even mee naar buiten om te kletsen?'

Nee. Nee. Geen geklets. Geen geklets tussen vrienden. Nee. Misschien bedoelde hij wel dat hij en zijn vriendin met me wilden kletsen. Misschien wilde hij dat ik met haar ook vrienden werd. Ik zag haar nergens, maar ze kon elk moment opduiken om vrienden met me te worden. Die vernedering doe ik mezelf niet aan. Ik zeg gewoon tegen hem: 'Nee, ik ga niet met je naar buiten, vriend.'

Maar natuurlijk liep ik als een speenvarken achter hem

aan. O nee, ik bedoel een offerlam. De Italiaanse bimbo was nergens te bekennen. Die was vast thuis pasta aan het koken voor als hij terugkwam van zijn hoornsdragende 'vrienden'. De Azen zagen me allemaal achter de LiefdesGod aan hobbelen. Andere meisjes keken naar me alsof ze mijn bloed wel konden drinken, wat echt nergens voor nodig was.

Het was een prachtige nacht. O mooi, alle sterren keken toe, benieuwd naar de volgende aflevering van de serie 'Georgia is een sukkel'.

Masimo leunde tegen de muur en keek me aan. Kijk alsjeblieft niet zo naar me, mijn hart breekt ervan. Toen zei hij: 'Mag ik het uitleggen? Gina komt uit Italië. Ze is... eh, was mijn vriendin, ik vertelde jou al over haar. Zij en ik, wij hadden serieuze relatie, en toen ging het uit, en ik... ik zei tegen jou dat ik niets serieus wilde.'

Ja, ja, in deze bakkerij was ik al eerder geweest. Ik wist niet wat ik moest zeggen, dus besloot ik dat ik net zo goed kon proberen een goede vriend te zijn. Diep ademhalen, ontspannen, achteloosheid en vriendschappelijkheid ten koste van alles en: 'Heb je de voetbaluitslagen gezien?'

Hij keek me aan alsof ik knettergek was.

Hij heeft geen ongelijk.

Toen lachte hij. 'De voetbaluitslagen?'

Ik knikte geïnteresseerd.

Hij zei: 'Georgia, Gina kwam me vertellen dat ze een nieuwe vriend heeft.'

Pardon?

Hij keek me nog steeds aan. 'Ze was erg, hoe zeg je dat, haar hart was gebroken na ons, dus ik vond het eh... rot voor haar, rot voor haar als ik een vriendin had. Nu zegt ze dat het goed gaat met haar. Dus alles is goed.'

O ja? Wat gebeurt er nou?

Hij bleef me maar aankijken.

'Dus, *signorina* Georgia, wat denk je ervan? Nu ben ik vrij voor jou. Als jij mij nog steeds wilt.'

Ik gaf net mijn altijd interessante en wereldberoemde imitatie van een goudvis met leerproblemen toen Jas en Tom naar buiten kwamen, buiten zichzelf van opwinding.

Wat hebben die twee toch? En waarom komen ze me storen, net nu ik de LiefdesGod bijna in handen heb.

Achter me stopte een auto en ik hoorde een portier open- en dichtgaan. Ik was te verlamd om iets te doen, en bovendien had ik het gevoel dat ik in een slow motion-film terechtgekomen was.

Masimo keek over mijn schouder. Hij trok een verbaasd gezicht en zei: '*Ciao*. Maar sinds wanneer ben jij terug?'

Ik draaide me om, en naast de auto stond Robbie.

Robbie.

Robbie, wiens naam ik in dit leven nooit meer zou noemen.

Robbie die in Kiwiland zat.

En gitaar speelde in de rivier.

En zoende met buideldieren.

Dus niet.

Hij was hier.

Ik stond letterlijk met mijn mond vol tanden.

De SeksGod is terug van weggeweest.

Lees ook deel 8 in de hilarische dagboekenreeks van Georgia Nicolson

Georgia heeft wat mannelijke aandacht betreft niet te klagen. Niet alleen de oorspronkelijke SeksGod is weer in het land, maar ook Masimo, de Italiaanse Hengst, wil eindelijk echt haar vriendje worden. En dan is er nog Dave Haha- ha – gewoon een vriend, maar waarom wil ze hem dan toch steeds zoenen? Uiteraard worden alle avonturen door Georgia en haar vriendinnen langs de 'zoenmeter' gelegd.